文春文庫

また次の春へ

重松清

文藝春秋

目次

また次の春へ

トン汁

真っ暗な家に帰り着いた。室内に明かりがないのは最初からわかっていたが、玄関や門の外灯までは頭が回らなかった。

「失敗したなあ、帰りが夜になるんだから、出るときに点《つ》けとかないといけなかったんだな」

玄関の鍵を手探りで開けながら、父がつぶやいた。父の後ろに立つ子ども三人は、兄も姉も、それから僕も、白い息を吐いて小さくうなずくだけで、声に出しては応えなかった。口を開くのも億劫《おっくう》なほど疲れていた。

三泊四日で、家を空けた。飛行機とレンタカーを乗り継いで、父の生まれ故郷まで行ってきたのだ。田舎《いなか》で過ごした日数は年末年始の帰省のときと同じだったが、忙しさが違った。入れ替わり立ち替わり親戚のひとがやってきて、タクシーであちこちに連れ回された。おじいちゃんやおばあちゃんにはほとんど遊んでもらえなかったし、テレビも全然観《み》られなかった。そもそも、遊んだり笑ったりする気になれない。一週間前からそうだった。ぐったりとした重い疲れも、長旅のせいだけではなかった。

父は玄関のドアを開けると、真っ暗な家の中に向かって「ただいま……」と言った。返事はない。鼻の奥が急にツンとした僕は、靴をわざと乱暴に脱ぎ捨て、ジャンプするように框《かまち》に上がった。その勢いのまま廊下に駆け出そうとしたら、四つ上の兄に「うるさい」と背中を叩《たた》かれた。兄は一週間ずっと機嫌が悪かった。

家の中は暗いだけでなく、凍えるように冷え切っていた。

その年の冬は、ずいぶん長かった。三月になってようやく陽射《ひざ》しが春めいてきたかと思っていたら、シベリアから南下した寒気団のせいで、季節は逆戻りしてしまった。例年ならそろそろ桜の花が咲きはじめる三月終わりになっても、真冬並みの底冷えがつづいていた。

居間の明かりを点けた父は「コタツと、あと、ストーブも点けてくれ」と誰にともなく言った。コタツのスイッチは僕が入れた。種火の消えていた灯油ストーブは兄がマッチを擦って点けて、姉は父に言いつけられる前に風呂場に行って、浴槽に水を張った。

姉はこの一週間、まわりのおとなたちが感心するほどたくさんお手伝いをした。そんな僕たちを、居間にあぐらをかいて座り込んだ父は、黙ってぼんやりと見つめていた。

これからは家族みんなで支え合ってがんばらないとな、と今日の昼間、親戚のおじさんに言われた。

だいじょうぶよ、この子たちはしっかりしてるから、と初めて会うおばあさんに言われたのは、ゆうべのことだった。

兄は中学一年生で、姉は小学五年生、僕は小学三年生だった。来週、四月の新学期が始まれば、みんな一つずつ進級する。

だが、それを誰よりも喜んでくれるはずのひとは、もういない。

僕たちは、一週間前に母を亡くした。


母の命を奪ったのは、長く居座りすぎた冬の寒さだった。前夜まで元気だったのに、冷え込んだ早朝、トイレに立とうとして寝室を出て、廊下で倒れた。脳溢血《のういっけつ》だった。すぐに救急車で病院に運ばれたが、意識を取り戻すことなく、夕方に息を引き取ったのだ。

母のなきがらはわが家で二晩過ごし、お通夜からは斎場に移された。告別式を終えて茶毘《だび》に付されたお骨《こつ》は、いったん家に戻って最後の夜を過ごしたあと、僕たちと一緒に父の生まれ故郷に向かった。

父の田舎では親戚のための小さなお葬式があらためて営まれ、四十九日の法要を待たずに納骨をすませた。それが父の故郷の決まりだった。行きはボストンバッグに入れたお骨を家族で順番に抱いていたのに、帰りは手ぶらになってしまった。僕たちは母をまだ雪の残る山あいの田舎に一人きりにして、母のいないわが家に帰り着いたのだ。

母が倒れてから僕はたくさん泣いた。こんなに激しく長く泣きつづけたのは、ものごころついてから初めてだったし、その後もなかった。

だが、どんなに泣いても、心のいちばん奥深いところに涙は残っていた。それをぜんぶ搾り出してしまいたいのに、どうしてもそこには届かない。

長患いをしていたのなら、こちらも心の準備ができる。だが、あまりにも急だった。悲しむより先に呆然《ぼうぜん》としてしまう。思い出にひたる余裕もなく、先のこともなにも考えられず、ただ途方に暮れていた。

お別れの儀式はどんどん先に進んでいく。母は僕だけのものではなかった。僕の知っているひと、知らないひと、みんなが次々にやってきては母に別れを告げた。兄や姉の見よう見真似《みまね》で、立ったり座ったりおじぎをしたり、手を合わせたりお経の言葉を唱和したり焼香したりしているうちに、母と過ごす最後の日々はあっけなく終わってしまった。

母のお骨は、父の実家の墓に納められた。代々のご先祖さまが入る大きな墓だった。天気は良かったが、風は凍えるほど冷たかった。粉雪が舞っていた。それを風花《かざはな》と呼ぶのだと、お坊さんが教えてくれた。

親戚のおじさんが墓石の下のほうを動かすと、地下にお骨を納める穴が広がっていた。父が「お願いします」と骨壺《こつつぼ》を手渡すと、おじさんはお経をつぶやきながら身をかがめ、穴の奥に置いた。白磁の壺が暗闇にふっと消えていく。それが母との別れだった。おじさんが墓石を元に戻すとき、風に乗った雪がひとひら、母を追いかけるように穴に舞い落ちていった光景は、四十年たったいまでもくっきりと覚えている。

＊

僕たちは服を着替えて、また居間に集まった。みんな黙っていた。表情の消えた顔でコタツを囲み、テレビも点けず、溜《た》まっていた新聞に手を伸ばすこともない。

父の正面に兄と僕が座り、父の左隣には姉がいる。父の右隣はいつも母の場所だった。

いつもは「もっと端《はし》に寄れよ、狭いだろ」と僕を邪魔にする兄なのに、空いている母の場所はそのままにして、窮屈そうに肩をすぼめ、ムスッとした顔でコタツに入っている。

夕食は外ですませてきた。夜八時過ぎなので、まだ寝るには早い。兄はトイレに立ったついでに水張りのすんだ風呂を沸かし、姉は台所からミカンを人数分持ってきてくれたが、父は黙ったまま、ぼんやりと虚空《こくう》を見つめるだけだった。

やがて兄が「風呂、先に入っちゃうね」とコタツから出た。父は、ああ、と喉《のど》の奥を低く鳴らして応えた。自分のミカンを食べ終えた姉は「もう一つ、部屋で食べていい？」と立ち上がりながら訊《き》いた。父は、今度もまた、ああ、としか応えなかった。

居間には父と僕だけが残された。

やっぱりテレビを点けようか、それとも自分の部屋に入ってしまおうか、と迷っていたら、玄関のチャイムが鳴った。

そのとき、ほんの一瞬だけ、母の顔が浮かび、ごめんねえ遅くなっちゃって、と笑いながら謝る母の声が聞こえた。

あとで聞いた。二階にいた姉も、風呂からあがって体を拭いていた兄も、僕と同じだったらしい。確かめたわけではなくても、もしかしたら父もそうだったのかもしれない。

訪ねてきたのは隣のおばさんだった。部屋に明かりが点いていたので、僕たちが帰ってきたことに気づいたのだという。

「明日の朝でもよかったんだけど、朝ごはんのこともあるかもしれないと思って」

疲れてるところにごめんなさいね、と申し訳なさそうにおばさんは言って、発泡スチロールの箱を玄関の上がり框に置いた。

二週間に一度の割合で共同購入している生協の食料品だった。昨日届いて、生モノはおばさんのウチの冷蔵庫で預かっておいてくれたのだ。

箱の中には、肉や野菜、卵などがひととおり入っていた。くだものは旬のハッサクとイチゴ。あの頃、イチゴは春の終わりのくだものだった。母が生協に注文用紙を出すとき、リストに今シーズン初めてのイチゴがあるのを見つけて、きょうだい三人でねだった。母は「四月になってからのほうが甘くて安いのに」とあきれながら、わがままを聞き入れてくれた。それが亡くなる三日前のことだったのだ。

隣のおばさんは用がすむと、「困ったことがあったらなんでも言ってくださいね、遠慮しないでくださいね」と父に繰り返し念を押してから帰っていった。

父はおばさんに何度も頭を下げ、「ありがとうございます、これからもどうかよろしくお願いいたします」と丁寧すぎるほど丁寧にお礼を言っていたが、おばさんがいなくなると、ぐったりしたような深いため息をついた。

兄と姉は、イチゴを居間のコタツでは食べなかった。兄はガラスの小鉢に牛乳とイチゴを入れ、姉は小皿のイチゴに粉砂糖を振りかけて、二人とも自分の部屋に持って行ってしまった。

僕はまた居間に取り残され、父と差し向かいでコタツに入って、イチゴを食べた。イチゴには練乳をつけるのが僕のお気に入りだが、冷蔵庫に練乳の缶はなかった。母が買っておくのを忘れていたのだろう。あとで買うつもりだったのかもしれない。

旬には少し早いイチゴは小ぶりで、へたのまわりはまだ青く、甘みも足りない。なにもつけずに食べると、酸っぱさに口がすぼんだ。

一粒、二粒、三粒……最後の一つは、特に酸っぱくて、口だけでなく目もつぶってしまった。

ごくんと呑《の》み込むと、それを待っていたかのように、いままで黙って、なにをするでもなくコタツにあたっていた父が言った。

「腹、減ってないか」

え、と聞き返す前に、「せっかくお肉や野菜が来たんだから、なにかつくってやるよ」とつづける。「食べるだろ?」

おなかは空いていなかったし、イチゴの味をすぐに消してしまいたくはなかった。

だが、首を横に振っても、父はかまわず「まあ食ってみろ」と言った。「欲しいだけ食べて、あとは明日の朝ごはんにすればいいし」

「なにをつくるの？」

父が料理をするところなど、いままで見たことがない。

「簡単なやつだ」

父はコタツから出ると台所に向かった。冷蔵庫を開けて中の食材を確かめ、よし、とうなずいて、こっちを振り向いた。

「今夜は寒いから、トン汁にしよう。体が暖まって、よく寝られるぞ」

「お父さん、つくれるの？」

「なんとかなるだろ、味噌汁《みそしる》みたいなものなんだから」

冷蔵庫から豚肉のコマ切れと、袋に入ったモヤシを出した。

トン汁は、母もときどきつくってくれていた。僕の大好物で、兄や姉も必ずお代わりをしていた。

ただ、母のトン汁にはモヤシは入っていなかった。代わりに、ゴボウやニンジンや大根、コンニャクが入って、仕上げにネギをたっぷり散らす。

その味を思いだすと、胸の奥がじんわりと熱くなった。お通夜や告別式のときにはなかった感覚だった。

「トン汁って、モヤシ入れるの?」

「あれ? 違ったか? 入れないんだったかな、モヤシは……」

頼りないことを言う。「いいだろ、だいじょうぶだよ、モヤシだったら包丁も使わずにすむんだし」と、もっと頼りないことを言って、「お父さんのオリジナル料理だ」と笑う。

まいっちゃうなあ、と苦笑いを返したあと、ふと気づいた。

明日からのごはんはどうなるんだろう。父が会社から早めに帰ってきてつくるのか、子どもたちが交代でつくるのか、出来合いの総菜やお弁当ですませるのか、誰かがつくりに来てくれるのか……。

あわただしさに紛れて遠くに置き去りにされていた今後のことが、ようやく現実の問題として目の前に迫ってきた。

そして、これからのことを思うと、まるで振り子のように、これまでのことも鮮やかに記憶がよみがえってきた。

母がいた。いつもそばにいた。笑うと両頰《りょうほほ》にえくぼができていた。優しいひとだった。

テレビに出ている芸能人よりもずっと美人だと思っていた。少しおっちょこちょいなところはあったが、そのぶん僕たちが失敗してもめったに叱《しか》らなかった。ほめてくれた。励ましてくれた。慰めてくれた。応援してくれた。かばってくれた。内緒の約束をしてくれた。なにも言わずに抱っこしてくれた。大好きだった。世界中で一番、誰よりも、大好きで、大好きで、大好きで、大好きだった。

もう会えない。どんなに願っても、もう二度と母とは会えない。母の声を聞けない。母と手をつなげない。母はもう、遠い、遠い、遠い、あの真っ暗な穴の中に消えてしまった。

胸の奥がさらに熱くなる。鍋を火にかける父の背中から目をそらし、強くまたたくと、まぶたの裏がたちまち潤んできた。

気づかないうちに泣き声が漏れていた。

「どうした?」

振り向いた父と目が合った。

父は僕の涙に気づくと、うん、うん、と大きく二度うなずいた。その顔が、にじみながら揺れる。

父はすぐに鍋に向き直り、僕は居間に戻って、コタツに突っ伏した。ゆっくりと泣いた。誰にも邪魔されず、誰からもせかされることなく、胸の奥に残っていた涙をようやく搾り出した。

しばらくすると味噌の溶けた香りが台所から漂ってきて、姉が二階から下りてきた。「なにつくってるの?」と訊く姉も、少し遅れて「いいにおいしてるから、腹減ってきた」と二階から下りてきた兄も、声が湿っていた。イチゴを食べながら泣いていたのだと、あとで聞いた。

「もうすぐできるからな」

父の得意そうな声がする。「あっつあつで、おいしいぞ」と付け加えた声も。

きょうだい三人でコタツを囲んで、トン汁ができあがるのを待った。

「狭いだろ、そっち」

お椀《わん》をお盆に載せて持ってきた父が、コタツの一辺に並んでいた兄と僕に言う。「一人、こっちに回れよ」――母の席に顎《あご》をしゃくって、お椀を置いた。

兄と僕は顔を見合わせた。おまえ行けよ、と兄に目配せされた。僕は首を横に振って、お兄ちゃん行ってよ、と目で返す。

父はそんな僕たちをちらりと見ただけで、どっちが移るのか命令するわけでもなく、

「えーと、七味唐辛子があったほうがいいのかなあ……どこだっけ」と言いながら、また台所に戻ってしまった。

兄と僕は動けないまま、肘《ひじ》でつつき合う。しだいに力がこもってきて、肘ではもどかしくなった兄は、ゲンコツで僕の肩を打ちはじめた。

姉が立ち上がった。「おねえちゃんのところに座ればいいから」と僕に言って、母の席に移る。よっこらしょと腰を下ろし、コタツ布団を膝《ひざ》にかける、そのしぐさは妙に堂々としていて、なんだか母に似ていた。

父は台所から居間を覗《のぞ》いて、そうか、そうしたのか、というふうに何度もうなずいた。僕は姉の席に移る。兄が心細そうな顔になってしまったのがおかしくて、姉と二人でクスクス笑った。

父の向かい側が兄、左隣が僕、右隣が姉。

それが、新しいわが家の一家団欒《だんらん》の席順になった。

父のつくったトン汁は、確かにあっつあつで体を暖めてくれたが、味のほうはおいしくなかった。

お湯に味噌を溶いただけ。ダシを取っていないし、沸騰させてしまったので、香りもほとんど飛んでいた。豚肉とモヤシもひどい。下味をつけず、あらかじめ軽く炒《いた》めておくこともなく、ただ沸騰した味噌汁に放り込んだだけだったので、火を通しすぎた豚肉は固くなり、モヤシもへなへなの歯触りになってしまった。

「どうだ？　ちゃんと味見してつくったんだけど、ちょっと味が薄かったかなあ」

父に訊かれて、姉がきょうだいを代表して答えた。

「お父さん、モヤシを入れる前に味見しちゃったんじゃないの？　モヤシも一袋ぜんぶ入れちゃったんでしょ。そんなに入れると、水っぽくなるのあたりまえだよ」

あ、そうなのか、と感心した顔でうなずく父に、姉は追い打ちをかけるように言った。

「お肉を入れたあと、お父さん、アクをすくってないでしょ。モヤシにアクがくっついてるの見えない？」

「……ああ、これか、あるな、うん」

「先に炒めたほうがいいと思う。お肉もモヤシも」

そこに横から兄も「そもそも、トン汁にモヤシって、やっぱりヘンだよ」と割って入って、父はますますしょげてしまった。

そんなふうに最初はさんざんの評判だったものの、やがて僕たちは三人とも黙りこんだ。味には確かに不満はあっても、寒い夜に啜《すす》る熱いトン汁は、味を超えたところでおなかに染みわたっていく。

お椀に顔をつっこむようにしてモヤシを掻《か》き込みながら、父が誰にともなく言った。

「これから……がんばろうな、みんなで」

返事はない。沈黙が答えになる。

「お母さんのぶんも……」

父の言葉は途中で切れて、代わりに、くぐもった嗚咽《おえつ》が聞こえてきた。

最初は父だけ――そこに姉の嗚咽が重なり、僕の嗚咽も加わった。

兄は大きな音をたててトン汁を啜り込んで、空のお椀を持って台所に行き、そこで一人で泣いた。

＊

モヤシ入りのトン汁は、その日から、わが家にとって大切な、特別の料理になった。

毎年の春、母の命日の前後――冷え込んだ夜に、誰からともなく「お父さんのトン汁、食べたい」とリクエストが出される。僕たちから声があがらなくても、父が自ら「よし、今夜は寒いから、アレつくって体の内側から暖めるか」と台所に立つときもある。

しょっちゅう食べてしまうとありがたみが薄れる。年に一度か二度の、とっておきの料理だ。

毎日台所に立ちつづけたおかげで、父の料理の腕前は——会社での出世をあきらめたのと引き替えに、ずいぶん上がった。きちんとダシを取って、ニンニクとショウガで風味をつけ、豚肉の下ごしらえをするだけで、味わいは格段に増す。ただし、「根菜を入れたほうが味が強くなって、絶対においしいよ」と姉がいくら勧めても、父はモヤシ以外の野菜は頑として入れようとしない。最初につくったあの夜のトン汁にこだわりつづける。

「ほんとに頑固で融通が利かないんだから」と姉はぶつくさ言うけれど、兄と僕は「親父《おやじ》の気持ちもわかるけどな」と、男のロマンを支持する。それで姉はいっそう機嫌を悪くして、仏壇の母の写真に「お母さん、聞いてよ、ほんとにもう……」と大げさな身振りで芝居がかった愚痴をこぼし、兄と僕を笑わせる。

そんなふうにして、母が亡くなってからの歳月は過ぎていったのだ。

モヤシ入りのトン汁を姉が一人で、自分だけのためにつくったことがある。

姉が高校二年生で、僕が中学三年生だった年。季節は秋の終わりだった。

何日か前から元気がなかった姉は、その夜も夕食をほとんど食べ残してしまい、夕食のあとは自分の部屋に閉じこもっていた。

風邪《かぜ》でもひいたんだろうかと思っていたら、日付が変わる頃になって、部屋からばたばたとした物音が聞こえてきた。

「どうしたの？」

びっくりして廊下から声をかけると、バンダナを鉢巻きにした姉が、汗ばんだ顔を戸口から出して、「部屋の模様替え」と言った。

「こんな時間に？」

「急にやりたくなったから」

一言答えて、じゃあね、とドアを閉める。

三十分ほどで部屋は静かになり、姉は台所に下りていった。今度は台所から物音が聞こえてくる。

怪訝《けげん》に思って覗いてみると、姉は小さな鍋でモヤシ入りのトン汁をつくっていた。ちょうど豚肉に火が通って、モヤシを鍋に入れるところだった。

「一杯ぶんしかつくってないから、悪いけど、あんたのぶんはないよ」

僕に背中を向けたままで言う。

「それはべつにいいけど……でも、なんでいきなりつくってるの？」

「急に食べたくなったから」

「明日でもいいのに」

「いま食べたいの」

モヤシのしゃっきりとした食感が残っているうちに火を止めて、お椀に移す。ふだんからトン汁に七味唐辛子を入れるのが大好きな姉だが、その夜は、いつも以上にたっぷり振りかけていた。

立ったまま一口啜り、辛さに肩をすくめ、「ううっ、効くなあ……」とつぶやいた。

「だいじょうぶ？　辛すぎない？」

「うるさいなあ、あんた関係ないでしょ」

一口、また一口、さらにもう一口。

はあはあ、と息が荒くなる。見る間に額《ひたい》が汗ばんでくる。ふーう、と吐き出す息にまで唐辛子が溶けて赤く染まっているみたいだ。

それでも姉は食べきった。

最後の一口を啜ると、気持ちよさそうにげっぷをして、「よしっ」と力んだ声を出した。

唖然《あぜん》として立ちつくす僕に「なんだ、あんたまだいたの。暇だねー、早く寝なさいよ」と笑う顔は、前髪が額に張りつくほど汗をぐっしょりかいていたが、すっきりしていた。

実際、お椀と鍋を手早く洗ったあとは、台所に長居をすることなく、「さあ寝よっと、あー眠い眠い」と、僕を残してさっさと二階に上がってしまい、翌日からは、また元気を取り戻して、学校に通った。落ち込んでいた原因を激辛のトン汁で洗い流したとしか思えない。

その後何年もたってから、種明かしをしてもらった。

失恋をした直後だったのだという。

ひどく傷ついて、もう生きていたくないとまで思い詰めて、それでもなんとか立ち直りたくて、部屋の模様替えをして、激辛のトン汁を啜った。

「モヤシっていいね、根菜と違って皮を剝《む》いたり切ったりしなくていいし、火もすぐに通るから、思い立ったらパッとつくれるでしょ。その速さが大事なの。うじうじしてるときは、食べるもので勢いをつけてもらわないとね」

姉はその後もたくさん恋をした。手痛い失恋をしてしまったことも、ゼロではないだろう。そのたびに激辛トン汁のお世話になったのかどうかは、残念ながら知らない。

ただ、僕も姉に倣って、モヤシ入りトン汁には七味唐辛子を多めに振るようになった。もともとモヤシの味は淡泊なので、七味でピリッと引き締めるとちょうどいい。子どもの頃にはわからなかった味わいだ。

姉は二十代の半ばに結婚をして、男の子二人に恵まれた。四十代の後半に入って体質が急に変わってしまい、最近は冷え症に悩まされ、夏場でもソックスや長袖シャツが手放せないという。

その体質改善を図って、体温を上げる効果があるショウガをいろいろな料理に使っているのだが、特にモヤシ入りトン汁との相性が抜群らしい。

「あんたも一回やってごらん。ほんとにおいしいから。ショウガをすり下ろして、『えーっ？』ってびっくりするぐらい入れて、ちょうどいいの」

七味唐辛子は口の中から熱くなるのだが、ショウガのほうは腹に流れ落ちてから、ぽかぽかと温《ぬく》もってくる。

「七味もあいかわらず好きだけど、ショウガに比べたら、ちょっと辛さが幼いかなっていう気がしちゃうね。やっぱりショウガのほうがおとなの味ってことよね」

来年、上の息子が結婚をする。姉が「おばあちゃん」になる日もそう遠くないだろう。

「今度は山椒《さんしょう》を試してみようと思ってるの。意外と相性がいいんじゃないかな」

わが家の味は、こんなふうにして歴史を紡いでいくのだ。

兄と僕はともに大学進学を機にふるさとの町を出て、東京で一人暮らしをした。ただ、その後もずっと東京で生活している僕とは違い、兄は大学を卒業すると、僕の上京と入れ替わるようにふるさとに帰って就職した。結婚をした後も自宅を二世帯住宅に建て替えて、男手一つで三人の子どもを育てあげた父の老いの日々を見守ってくれている。

「長男」の鑑《かがみ》のようなひとだ。兄弟のひいき目抜きにして、つくづく思う。

兄は五十代半ばにさしかかっても、大学時代のことをしょっちゅう懐かしそうに話す。東京で送った一人暮らしの日々は、わずか四年間だからこそ愛《いと》おしくて、かけがえのない思い出になっているのだろう。

長年その思い出話に付き合っていると、少しずつ記憶が美化されていることに気づく。でもまあいいか、と苦笑いで聞き流す。兄にはほんとうに世話になってきた。僕が子どもの頃は姉と二人で母の代わりをつとめてくれたし、おとなになってからは、兄のおかげで、ふるさとを必要以上に顧みることなく東京暮らしをつづけることができた。感謝している。ほんとうに。そんな兄の貴重な青春の思い出なのだ。少々のオーバーアクシヨンは貯金の利子のようなものだろう。

思い出話には、モヤシ入りトン汁のこともよく出てくる。

アパートの共同炊事場で、ときどきつくっていたのだという。トン汁として食べるだけでなく、うどんを入れたり、餅を入れたり、冷やご飯と卵を入れておじやにしたり……。とりわけお気に入りだったのが、卵入りのトン汁——まだモヤシに火が通らないうちに生卵を二つ割り入れる。黄身を崩さないようにしばらく放っておくと、ちょうど卵が半熟になった頃にモヤシにも火が通る。あとは卵だけ啜り込むように食べてもいいし、崩した黄身をモヤシや豚肉にからめて食べてもいい。

「卒論の追い込みのときには、一週間ずーっとそれだったんだ。あの頃の大学生は、とにかく卵さえあればスタミナがつくと信じてたからなあ」

僕にはその感覚がとてもよくわかる。

だが、兄の一人息子は、毎度おなじみの話を「そんなにたくさん卵を食べたら、逆に体に悪いんじゃないの?」と苦笑いで受け流すだけで、ちっとも乗ってこない。

甥《おい》っ子は、脂ぎったところのまるでない、いかにもいまふうの青年だ。地元の国立大学をおとし卒業して、めでたく市役所に就職した。大学時代も社会人になってからも親元から離れていない。「だって親と一緒にいたほうが、なにかと楽でいいんだもん」

と、けろっとした顔で言う。

「俺は、あいつが東京に出てもいいし、なんだったら海外留学でもかまわないと思ってたんだ。自分のやりたいことがあるんだったら、なんでも応援してやるって、あいつがガキの頃からずーっと言ってやってたんだ。就職だって、ウチから通える範囲で決めろなんて言ったこと、一度もないんだ。でもなあ、どうもなあ、安定志向っていうか、冒険しないっていうか、草食系ってこういうことを言うのかなあ……」

兄は少し悔しそうに言う。自分が「長男」の役目を律儀に守ったぶん息子には自由にはばたいてほしい、と願う父親の思いは、残念ながら、空回りに終わってしまいそうだ。

それでも、息子が初めての給料でプレゼントしてくれたという磁気ネックレスを、兄は文字どおり肌身離さずに使っている。「あいつはああ見えて、意外と心の根っこが優しいんだよ」とうれしそうに何度も自慢する。

医学的効果は少々怪しげなそのネックレスは、自腹で買ってもたいしたことのない安物だった。同じ初月給で買ったプレゼントでも、母親にはジノリのティーカップを贈ったらしい。ずいぶん差をつけられてしまった。

「しょうがないじゃない、わたしは最初からカップをリクエストしたんだけど、ダンナはだめなのよ、照れてるのか遠慮してるのか知らないけど、『俺はなんでもいいから』

しか言わないんだもん」

義姉はあきれ顔で言う。僕も「しょうがないですねえ」と笑って相槌《あいづち》を打つ。だが、本音は少し違う。僕はそういうときにリクエストを出せない兄のことが大好きで、弟として誇りにも思っているのだ。


八十歳を超えた父は、この二、三年ですっかり老け込んでしまった。足腰が弱って、ときどき現実と幻との区別がつかなくなってしまう夜もあるらしい。

だが、兄が「親父、ひさしぶりにアレ食いたいなあ」と水を向けると、それだけで話は通じる。「モヤシと豚コマはあるのか？」と訊く声は急にしゃんとして、背筋までまっすぐ伸びるのだという。

もちろん父を一人で台所に立たせるわけにはいかないし、「じゃあ俺もちょっと手伝うよ」と鍋を火にかける兄が、結局のところはほとんどぜんぶつくっている。

卵は入れない。姉お勧めのおろしショウガも、ここでは使わない。

父があの夜初めてつくったオリジナルのモヤシ入りトン汁を、なるべく忠実に、昔どおりに再現する――たぶん、父のためというより、兄自身のために。

父はモヤシ入りトン汁をおいしそうに啜る。湯気ごと味わうように目を細め、にこにこと微笑《ほほえ》みながら食べる。

「そのときの親父の笑ってる顔、ガキの頃のおまえとよく似てるんだ」

兄はそう言って、少し照れくさそうに「ほんとだぞ」と付け加えた。

＊

野営用のテントの下で、大きな寸胴鍋《ずんどうなべ》に数十人分のトン汁をつくった。

一緒にいたボランティア仲間が「へえ、トン汁にモヤシですか、初めて見ました」とびっくりして言った。

「おいしいんですよ」

僕は胸を張って言って、お玉で汁を掻き混ぜた。だいじょうぶ。ニンニクとショウガで風味はしっかりつけた。先に肉を炒めて旨《うま》みも封じ込めた。なによりモヤシなら根菜と違って包丁を使わずにすむし、生ゴミも出ないし、軽いので運びやすく、値段だって安い。炊き出しにはうってつけのメニューなのだ。

「ほんとうは、豆腐もあると、もっといいんですけどね」

僕と妻と娘二人のわが家でつくるモヤシ入りトン汁には、さいの目に切った豆腐も入っている。新婚間もない頃に妻が「そのほうがおいしいんじゃない?」と提案して、それがわが家のトン汁になった。

兄や姉には話していない。「よけいなもの入れないでよ」と姉は怒りだしそうな気がするが、兄は「それでいい、それでいい、おまえたちのやり方でいいんだよ」と言ってくれるんじゃないかと思う。ただ、そんなことを言う兄は、自分の家のトン汁には決して豆腐は入れないだろうし、意外と姉のほうが、「一回やってみたんだけど、けっこうよかったよ」とあっさり採用するのかもしれない。

僕はいま、海沿いの町にいる。大きな地震と津波によって、幸せな生活を根こそぎ奪い取られてしまった町だ。たくさんのひとたちが亡くなり、たくさんの家族がばらばらになってしまった町でもある。

娘たちの通う中学校の保護者会でボランティアツアーを組んで、町を訪ねた。瓦礫《がれき》の片付けを手伝ったあと、避難生活を送るひとたちに炊き出しをした。そのうちの一品に、僕は、わが家の歴史が溶け込んだトン汁をつくったのだ。

おにぎりに簡単なおかずを添えた弁当に、紙コップに入れたトン汁。申し訳ないほどの貧しい昼食だったが、みんな「ありがとうございます」と丁寧にお礼を言って受け取ってくれた。

食事を受け取る行列が一段落ついたので、テントの外に出て休憩した。

東京は花見の時季を迎えていたが、冬の長いこの地方では、四月に入っても風は頰を刺すように冷たい。体育館のまわりに植えられた桜が満開になるには、あとひと月近くかかるという。

避難所になった小学校から眺める海は、あの日の悲しい出来事が嘘《うそ》のように静かに凪《な》いでいて、空もきれいに晴れわたっている。

その青い空から、ときどき、風に乗って粉雪が舞い落ちてくる。風花だ。ひさしぶりに母と別れたときのことを思いだした。

テントから呼ばれた。

お母さんと男の子の二人連れが、トン汁の鍋の前に立っていた。男の子は、母を亡くした頃の僕と変わらない年格好だった。

お母さんは恐縮した様子で、トン汁のお代わりが残っていないかどうか訊いてきた。すでに弁当と一緒に受け取っていたが、男の子がすっかり気に入って、お代わりをねだったのだという。

鍋の底にはあと一杯か二杯ぶん残っていた。ただ、まだ取りに来ていないひともいるかもしれないし、特別扱いをするのがいいことなのかどうか、よくわからない。

だが、僕は指でOKマークをつくって、男の子に「おいしかった?」と訊いた。

男の子は、お母さんの後ろに体を半分隠しながら、黙ってうなずいた。

「モヤシがポイントなんだ」

お母さんにうながされて、男の子はまた黙ってうなずく。

避難所に入っているのだから、二人の自宅は津波で流されてしまったのだろう。思い出の品は、いったいどれだけ持ち出すことができたのだろうか。家族はどうだ。お父さんや、きょうだいは、いまはたまたま一緒にいないだけなのだと信じている。

「あっつあっつだから、口の中をヤケドしないように気をつけてな」

紙コップにトン汁を注いだ。お母さんに渡してもよかったが、腕を伸ばして「はい、どうぞ」と男の子の手元に差し出した。

男の子は顔を赤くしてコップを受け取ると、お礼を言うきっかけを逃してしまったのか、もじもじしながらお母さんを見上げた。

お母さんは僕に会釈をして、ほらちゃんと言いなさい、と男の子の肩を軽くつついた。

「……ありがとう」

男の子はうつむきかげんに、顔をさらに赤くして言った。消え入りそうな声でも、確かに聞こえた。

「どういたしまして」

僕は笑って応え、体育館に戻っていく二人の背中を見送った。

風花が舞う。粉雪のひとひらがテントの端をかすめ、寸胴鍋に落ちていった。

おまじない

マチコさんが子どもの頃に暮らしていた町が、海に呑《の》み込まれた。

金曜日の午後だった。不精をして片づけるのが遅れたひな人形を箱にしまっていたときに、いままで体験したことのないような激しい揺れに襲われた。

震度5弱だったとあとで知った。マンションの建物ぜんたいが左右にしなるように揺れたのは確かに怖かったが、あわててテレビを点《つ》けた瞬間、東京の被害のことなど頭から消え去ってしまった。

ニュース速報の画面に日本地図が映し出されていた。東北地方を中心に「6」や「5」といった震度の数字が並び、ほどなく津波にかんする情報も加わった。大津波警報の発令された地域の海岸線が赤く縁取られた。関東から東北をへて北海道まで、太平洋に沿ったすべての海岸線が、赤——高いところで三メートル以上の津波が来る恐れがあるのだという。津波警報や津波注意報は知っていても、大津波警報という名前を目にしたのは、五十年近く生きてきて初めてのことだった。

津波の高さは正直言ってピンと来なかったが、テレビの画面を見つめるマチコさんのまなざしは、やがて一点に吸い寄せられたまま動かなくなった。

なつかしい町が赤く塗られている。小学四年生に進級した四月から翌年三月までの一年間だけ、父親の仕事の都合で暮らした海辺の町だ。大きな漁港があって、朝から晩まで、町のどこにいても、ウミネコの鳴き声が聞こえていた。

当たってほしくない、と願った。こういう警報は念のために出ているだけで、「なーんだ、たいしたことなかったんだ」と拍子抜けして笑うのが、毎度おなじみのパターンだった。警報が解除されるとテレビの画面の日本地図はあっさり消えて、中断していた番組も元に戻り、またふだんの生活がつづく。今度もそうであってほしい、と祈った。

だが、津波は警報どおりに町を襲った。三メートルどころではない。十メートルをはるかに超えた波は、海岸から何キロも離れたところまで達していたという。

そのときの映像が数日後にテレビで流れた。漁協のビルの屋上から撮った映像だった。港に停泊していた大きな漁船が、防潮堤を越えた波に乗って、ビルのすぐ脇を通り過ぎた。無数の自動車が流れていた。壊れた家々の屋根や柱や壁がすさまじい勢いで流され、沖のほうへと運ばれていった。映像には出ていなかったが、濁った水の中には、何百人ものひとも巻き込まれていたはずだ。

映像には、ビデオカメラを構えた若い男性職員の叫び声やうめき声も入っていた。町を呑み込んだ津波が渦を巻きながら沖に返っていくとき、うめき声はすすり泣きの声に変わった。嗚咽《おえつ》のせいなのか、最後のほうはカメラが激しく揺れていた。そのはずみで空が一瞬だけ映し出された。厚い雲が垂れ込めた北の町の空は、まだ冬の色をしていた。

マチコさんがその町に住んでいたのは、もう四十年近くも前のことになる。引っ越しの多い子ども時代を過ごした。水産物の加工会社に勤める父親の転勤に伴って、家族そろって引っ越しを繰り返し、何度も転校をした。いまなら父親が単身赴任するところだが、「昭和」の家族は「一つ屋根の下」というのを律儀に守っていたということなのだろう。

転校が多ければ、お別れにも慣れてしまう。お別れに慣れると、忘れることにもあまり抵抗がなくなってしまう。

その町の友だちもそうだった。中学生の頃までは年賀状のやり取りをしていた友だちが何人かいたものの、いつのまにかそれも途絶えて、いまでは誰の消息も知らず、思いだすことすらなかった。

だから、町が津波に呑み込まれた映像を観《み》て、死者・行方不明者七百五十四人という数字を目にしても、友だちの顔は誰も浮かんでこない。

「いいのかな、そんなので……」

もどかしそうに、申し訳なさそうに、夫や子どもたちに言う。

「しょうがないだろ、ずっと昔のことなんだから」と夫は言った。「俺だって小学四年生の一年間だけ同級生だった奴《やつ》の顔なんて、全然覚えてないし」

「お母さん、そんなに気になるんだったら、義援金とか救援物資とかを送ってあげればいいんじゃない？」

大学に通う娘の言葉を引き取って、生意気盛りの中学二年生の息子は「そうそう、お金や物のほうがいいよ。お母さんはボランティアに行っても足手まといになるだけだもん」と笑った。

夫の言うことはわかる。娘の言うことも現実的にもっともだと思うし、息子の言葉にはさすがに少しムッとしたものの、それはそうだけどね、と認めるしかない。

だが、頭では理解して、納得していても、心の奥深いところがなんとも落ち着かない。

義援金を振り込み、救援物資を送ったあとも、まだ自分はやるべきことをなにもしていない、という思いは消えない。震災で命を落としたひと、家族を亡くしたひと、家や仕事を失ったひとのことを考えると、自分がこうして東京でぬくぬくと暮らしていることじたい申し訳ない。誰かに、ごめんなさい、すみません、と謝りたい。その「誰か」がわからないから、よけいにつらい。

報道を追いかけているだけで日々が過ぎていた震災直後よりも、ミネラルウォーターの買いだめ騒ぎや計画停電の混乱をへて、東京の生活が徐々に日常を取り戻しはじめてからのほうが、落ち込み具合は激しかった。三月のうちは「お母さん、元気ないね」「またダイエットやってるの?」程度ですんでいたのに、四月に入ると「お母さん、どこか具合悪いんじゃない?」「ちょっと痩せちゃった?」と子どもたちに真顔《まがお》で心配されるようになってしまった。

夫が教えてくれた。

震災以来、マチコさんと同じように元気をなくしてしまったひとがたくさんいるのだという。インターネットのニュースサイトに出ていたらしい。

「自分は自分、被災者は被災者、っていうふうに割り切れないんだよな」

俺だってそうだよ、と夫はつづけた。新聞に載っている死亡者の名簿を毎朝必ず見て、自分と同世代のひとや、わが家と同じような四人家族を探してしまう。亡くなったひとや遺族の無念と悲しみを思い、やりきれなさに胸を痛める一方で、自分自身の生活は震災前と変わっていないことに、なんともいいようのない後ろめたさも感じる。

「震災のあとは飲み会に誘われても、どうも外で酒を飲む気になれなくて……」

「そのほうがいいじゃない」と混ぜっ返してはみたものの、マチコさんにも夫の気持ちはよくわかる。ましてや、マチコさんにとっては、ほんの一年とはいえ暮らしていた町が被災したのだ。亡くなったひとや行方不明になったひとの中には、もしかしたらあの頃の同級生もいるかもしれない。それを確かめるすべがないから、よけいもどかしく、居たたまれなくなってしまうのだ。

「まあ、日本中のみんながショックを受けてるわけだから、少しぐらいは元気がなくなって当然なんだよ。あんまり考え込まないほうがいいって」

「うん……」

「それに、喉元《のどもと》過ぎれば熱さ忘れる、ってアレだけど、どうせまたしばらくたつと、テレビもいままでどおりバラエティーとかガンガンやって、被災地のことなんて忘れちゃうよ。いつものことだろ、それ」

そうかもしれない。だが、今度ばかりは、そうはならないのかもしれない。

いずれにしても、マチコさんの喉元には、確かになにかがひっかかっている。

「ねえ、状況がもうちょっと落ち着いたら、一度向こうに行ってみたいんだけど」

「ボランティアか?」

「っていうか、とにかく歩いてみたい。町を歩いて、もし昔の同級生に会えたら……」

「会えたら?」

しばらく考えてから、首を横に振った。「そこから先のことはわからないけど」と正直に答えた。

夫はあきれたようにマチコさんを見て、まいったな、とため息をついた。それでも、行くな、とは言わなかった。

田舎《いなか》の母親に連絡して、子どもの頃のアルバムを送ってもらった。

いまと違って、写真を気軽に撮るような時代ではない。あの町で暮らした一年間で撮った写真は二十枚ほど、それも、ほとんどは家族で撮った写真で、学校の友だちと一緒に写っているのは、転入した直後に撮ったクラスの集合写真の一枚きりだった。

みんなすまし顔をしているせいか、マチコさん自身がまだ学校に全然なじんでいない時期に撮ったせいなのか、写真を見ても、記憶にかろうじて残っている友だちの顔とうまくつながらない。

一人ずつ指差して、名前を思いだしてみた。フルネームが出てくる子は誰もいない。苗字《みょうじ》だけ、下の名前だけ、あだ名だけ――市役所のホームページに出ている避難所の名簿や、新聞に載った死亡者の名簿と照らし合わせても、あたりまえの話だが、誰とも重なり合わない。

だが、三十八人いたクラスの友だちの全員がまったく被災していないということは、ありえないだろう。写真の中の何人かは家を流され、何人かは家族を喪《うしな》い、そして、もうこの世にはいない友だちも、もしかしたら……。

写真の中の友だちはみんな、服装も髪形も野暮ったい。正直に言うと、みすぼらしい。そんな中で、マチコさんは明らかに雰囲気が違う。いかにも都会から来た女の子だった。

「東京から来た転校生なんて、ふつういじめられちゃうんじゃない？」と息子に訊《き》かれた。

「ぜーんぜん。みんなすごく親切だったし、素朴で優しくて、お母さんも東京で流行《はや》ってる遊びとか教えてあげてたんだから」

「遊び、って？」

「おまじないなんかが多かったかな。四年生ぐらいの女子って、そういうのが好きなのよ」

息子にはよくわかっていない様子だったが、横で話を聞いていた娘は、なるほどね、と笑ってうなずいてくれた。

実際、マチコさんはたくさんのおまじないをクラスの友だちに伝えたのだ。

緊張をほぐすおまじない、自信のない問題を先生にあてられずにすむおまじない、なくし物が見つかるおまじない、仲直りができるおまじない……。東京の学校で上級生から下級生に受け継がれていたものもあれば、みんなの期待に応えるべくマチコさんがとっさに思いついたおまじないもあった。

「えーっ、それって嘘《うそ》ってことじゃん、ひどくない？」「お母さん、向こうが田舎者だからと思ってナメてたんじゃないの？」

子どもたちの抗議の声を「おまじないは、そういうものなの」と強引にねじ伏せた。

遠く離ればなれになってしまっても、また会えますように——。

そんなおまじないもオリジナルでつくったような気がする。肝心の中身のほうは、もう忘れてしまったのだけど。

*

パートタイムの仕事のスケジュールをやり繰りして、五月の大型連休明けにようやく二泊三日の時間をつくった。

ワゴン車に水や食料、思いつくままに救援物資を積み込み、地震や津波の被害を幸いほとんど受けなかった内陸部の町のビジネスホテルを予約して、一人で東京を発《た》った。

なんのために——？

その問いの答えは結局見つからないまま、マチコさんは北へ向かった。

夜明け前に自宅を出て、高速道路に乗り、車窓の風景が都会から郊外をへて、田園地帯に変わった頃、遅ればせながら気づいた。

結婚をして二十四年、一人きりで泊まりがけの旅行をするのは、これが初めてのことだった。

日が傾きかけた頃に着いたなつかしい町は、「なつかしい」という言葉をつかうことすら叶《かな》わないほど、変わり果てていた。

港に近い地区は、一面の焼け野原になっていた。津波で建物が根こそぎさらわれたあと、火災が発生して、三日三晩燃えつづけたのだという。陸に打ち上げられた漁船の数は予想以上に多かった。冷凍倉庫の建物の骨組みは津波に流されずに残っていたが、倉庫の中にあったカツオやサンマはすべて外に出てしまい、腐敗して、鼻の曲がるような異臭を放ち、それを無数のウミネコがついばんでいる。

ただし、町のすべてが壊滅的な被害を受けてしまったというわけではない。山が海のすぐそばまで迫った地形なので、町並みは高台にも広がっている。東京を真似《まね》たわけでもないのだろうが、港の近くは「下町」、高台の地区は「山の手」と呼び習わされていた。

マチコさんが住んでいた社宅は「下町」にあった。当時の「山の手」は段々畑や果樹園の中にぽつりぽつりと古い農家があるぐらいだった。「下町」の子どもたちはちょっとした遠足や冒険気分で、放課後に急な坂道を登って「山の手」を訪ねては、湾を一望できる自然公園で遊んでいたものだった。

だが、いまでは「山の手」もすっかり開けた。ひな壇に造成された土地には新しい住宅が建ち並び、市役所が何年か前に「下町」から移転したこともあって、むしろ市の中心は「山の手」に移りつつある様子だった。

なにより、「下町」には復旧作業の重機やダンプカーや自衛隊の車両しか見あたらないのに、津波が届かず火災にも遭わなかった「山の手」は、以前と変わらないたたずまいで、しまい忘れたこいのぼりが五月の空に泳いでいる。

あの日のあの瞬間を境に、一つの町で明暗が残酷なほどくっきりと分かれた。おそらく、同じ「下町」でも、家族全員亡くなってしまった世帯もあれば、運良く全員が難を逃れたという世帯もあるだろう。建物の被害こそなかった「山の手」でも、家族や身内や知り合いを亡くしたひととそうでないひとが分かれてしまうことになる。その理不尽さが悲しく、悔しい。

「下町」を車で回った。建物がなくなったからというだけではなく、昔を思いだすよすがになるものはほとんど残っていない。倒れた電柱の住居表示を見ても、そこが昔でいえばどのあたりになるのか、さっぱり見当がつかない。

通っていた小学校は、避難所になっていた。子どもたちは「山の手」の小学校で授業を受けていて、教室ではそれぞれ十世帯ほどのひとたちが避難生活を送っている。救援物資の仕分け場になっている体育館の壁は、大きな伝言板のような役割も果たしていて、安否不明の家族の情報を求める紙や、身を寄せた先の住所を書いた紙が、びっしりと貼ってある。

その隅を、マチコさんも使わせてもらった。

出発前に、クラスの集合写真をスキャンして、たくさんプリントアウトした。その束をクリップで留めて壁に掛け、手紙を添えた。

〈市立第二小学校で、昭和47年に4年1組だった皆さんへ
被災して古いアルバムなどを失ってしまった方々がたくさんいらっしゃると聞いて、クラスの集合写真を持ってきました。必要な方はどうぞご遠慮なく持ち帰ってください。

私は、元・4年1組の山本《やまもと》真知子といいます。結婚して、いまの姓は「原田《はらだ》」です。いまは東京で、夫と子ども二人と暮らしています。この写真の、最前列の右から二人目が私です。新年度が始まった4月に東京から転校してきて、3月に学年が終わるのと同時に、今度は札幌に転校していきました。4年1組では「マッちん」と呼ばれていました。覚えていらっしゃいますか？　震災で市内が大きな被害を受けたことを知り、いてもたってもいられなくて、東京から来ました。もし、この手紙を読んだ元・4年1組のひとで、私のことを覚えているひとがいらっしゃったら、よろしければ下記の番号に電話をいただけませんか〉

手紙を壁に掛けたあと、急に不安になった。

東京で手紙を読んだ子どもたちの反応も、「ちょっと無神経な感じがするって思うひともいるかもよ」「お母さんは被災してないんだし、家族を亡くして避難所生活してるひともいるはずだから、東京で何人家族とかって書かないほうがいいんじゃない？」と、けちょんけちょんだった。「まあいいよ、やりたいようにやってみればいいんだ」ととりなしてくれた夫も、「ダメでもともとのつもりでな」と釘《くぎ》を刺すのを忘れなかった。

もっとも、当のマチコさんには自信があった。だいじょうぶ、手紙を読んだ昔の同級生はみんな昔をなつかしんでくれる、と信じ込んでいた。その根拠のない自信は、いざ手紙を壁に掛けたあとは、クルッと裏返ってしまったかのように、理由のわからない不安になってしまったのだ。

その夜は、遅くまでビジネスホテルの部屋で起きていたが、電話はかかってこなかった。

翌日は早朝から市内に入った。といっても、マチコさんには、瓦礫《がれき》の町をあてもなく車を走らせる以外にすることがない。市役所ではボランティアの受付をしていたが、五十前のおばさんがなんの準備もせずに、ほんの一日だけ働くというのでは、足手まといどころか、申し込みをすることじたい失礼になってしまいそうな気がする。

町を何周もした。電話は鳴らない。

港に近づくと、道路に水たまりが増えてきた。自宅の瓦礫を片づけながら、泥をスコップで掻《か》き出している親子がいた。マチコさんのウチと同じ、お母さんとお姉さんと弟の三人だった。子どもたちの年格好も似ている。お父さんがいないのは仕事に出ているからなのか、それとも——。

その家の前を通り過ぎてから車を停《と》めた。なにか手伝えることはないだろうか、と思った。だが、エンジンを切ってシートベルトをはずすと、急に胸が重くなった。ため息をついて、「小さな親切、大きなお世話、か……」とつぶやくと、もう車を降りる気力はなくなってしまった。

疎んじられるかどうかはわからない。自分で勝手に決めつけただけのことだ。もしかしたら、たいして役には立たなくても、誰かが手伝ってくれたというだけで、三人は喜んだかもしれない。

それでも、やっぱり違う。なにかが違う。とにかく違う。指に力をこめてキーを回し、再びエンジンをかけた。舗装の剝《は》げた埃《ほこり》っぽい道路を、急加速で車を走らせた。やめればよかった。おばさんの図々《ずうずう》しさで押し通してはいけないものがあるんだと、もっと早く気づけばよかった。

「下町」の市街地を抜けて、国道に出た。津波の被害を受けていない内陸の町を目指して、車のスピードをさらに上げた。なつかしい町に背を向けて、逃げだすような格好になってしまった。

なにをやっているんだろう――。

自分でもワケがわからない。

いい歳《とし》をして――。

いや、この歳になったからこそ、こんなにぶざまな空回りをしてしまうのだろうか。

まだ電話は誰からもかかってこない。

それを寂しく思うよりも、いまは、ほっとしている気持ちのほうが強かった。

*

夕方まで長い長いドライブをした。なつかしい町のまわりをぐるぐると巡りつづけるドライブだった。

沿道にコンビニエンスストアを見つけるたびに車を停めて、レジに置いてある義援金の募金箱にお金を入れた。言い訳のような募金だと、自分でも思う。

誰に——？　なんの言い訳を——？

結局、東京で落ち込んでいた頃となにも変わらない。

夕方、お別れをするつもりで、なつかしい町に戻った。最後の最後に町を見渡しておこうと思って、「山の手」の公園に向かった。

昔は、自然公園の名前どおり、ほとんどひとの手が入っていない雑木林が三方を取り囲んでいたが、いまはその林はそっくり住宅地に変わってしまい、門に刻まれた名前も自然公園から児童公園になっていた。

それでも、町と海を一望できる眺めの良さはあの頃と同じだった。ブランコを漕《こ》いでいると、勢い余って空を飛んでいってしまいそうな気がして、胸がドキドキしていたものだった。ブランコの位置や向きは昔どおりだったから、いまの小学生たちも、同じように胸をドキドキさせながらブランコを漕いでいるのかも——と想像しかけて、ふと思いだした。

あ、そうだ、と声も漏れそうになった。

忘れていた記憶がよみがえった。

なつかしい町に来て、初めて、友だちの顔がくっきりと浮かんだ。

三学期の終わりで転校することが決まったあと、クラスでいちばんの仲良しだったケイコちゃんと二人で、この公園で遊んだのだ。

修了式まであまり間《ま》のない、お別れの日が迫っていた頃だった。

ケイコちゃんはマチコさんが転校してしまうのをとても悲しんで、お別れした友だちとまた会えるおまじないをリクエストしてきた。

そんなもの、知らない。だが、ケイコちゃんのリクエストに応えるためだけではなく、自分自身がそれを本気で信じたくて、とっさにオリジナルのおまじないを考えた。

ブランコが二台。二人で並んで、前後に振るタイミングが交互になるように立ち漕ぎしながら、勢いをつけていく。三十回漕いでから、おまじないを始める。自分のブランコが前に出たときに相手の名前を呼ぶ。それを十回。次に、いつ会いたいかを、同じように十回。そのときに隣にいる相手の顔を見てはいけない。まっすぐに前を向いて、ブランコが後ろに戻る前に早口に言わなければならない。

急いで考えたわりには、自分でもなかなかの出来だと思った。「横を向いてはいけない」「早口に言う」というところが、なんとなくおまじないっぽい。

「東京の子は、みんなやってるんだよ」

仕上げの小さな嘘で、もう完璧——ケイコちゃんはあっさり信じて、じゃあやろうよ、いまからわたしたちもやろうよ、と張り切ってブランコを漕ぎはじめたのだ。

ケイコちゃんって単純だったもんなあ、とベンチで笑って、バッグからクラスの集合写真を取り出した。前から二列目の、右から四人目。担任の先生の斜め後ろ。この子だ、この子、田舎っぽい顔してたんだ、とオカッパ頭のケイコちゃんを指で軽くつつくと、ほんの少し気分が楽になった。

あの日のおまじないでは、再会する日をいつに決めていたのだろう。細かいところは覚えていない。「夏休み」あたりだっただろうか。そこまで待ちきれずに「ゴールデンウィーク」にしただろうか。どっちにしても、おまじないの効果はなく、修了式の翌日に引っ越したきり、二度とケイコちゃんに会うことはなかった。

ケイコちゃんはいまも元気でいるだろうか。結婚して、この町を離れて、地震や津波の被害を受けなかった町で、家族そろって幸せに暮らしていてほしい。ケイコちゃんだけではない。みんな。みんな。みんな。集合写真をじっと見つめ、名前が出てこない友だちの顔を一人ずつ目と指でたどって、心から祈った。

祈るだけでは気がすまない。ブランコを漕いでみよう。おまじないを信じてみたい。いまなら、あのおまじないは願いを叶えてくれるかもしれない。

ベンチから立ち上がり、ブランコに向かって歩きだした、そのときだった。

小学生の女の子が二人、公園に入ってきた。ランドセルを背負って、学校帰りに寄り道しているのだろう。一人の子が「あ、ラッキー、空いてる」と歓声をあげると、もう一人の子も「早く行こう！」と声をはずませて、二人で手をつないでブランコに駆け寄った。

何年生だろう。四年生か五年生といった背格好だろうか。ブランコで遊ぶにはお姉さんすぎる気もしたが、やっぱりそういうところが田舎の子の純朴さなのかな、とマチコさんは苦笑して、ベンチに座り直した。

二人はさっそくブランコ板の上に立ち、作戦を確認するみたいに目配せし合って、漕ぎはじめた。

前、後ろ、前、後ろ、前、後ろ……。二台のブランコが交互に前に出る。「いーち、にーい、さーん……」と二人はそれぞれ自分のブランコが前に出る回数を数え、三十までいったところで、相手の名前を呼びはじめた。

「エリちゃん」「ハルカちゃん」「エリちゃん」「ハルカちゃん」「エリちゃん」「ハルカちゃん」――早口に、十回ずつ。

そして、つづけて「夏休み！」「夏休み！」「夏休み！」「夏休み！」と、同じ言葉を交互に、十回ずつ。

マチコさんは思わずベンチから腰を浮かせ、呆然《ぼうぜん》と二人を見つめた。

二人は第二小学校の四年生だった。大親友なのだという。二人とも家族は全員無事だったが、「下町」にある家は津波に流され、火災で焼き尽くされてしまった。いまは避難所から「山の手」の学校に通っているが、片方の子が親戚の家に家族で身を寄せることになった。お別れになってしまう。

でも、いつかまた会いたい――。

絶対にまた、一緒に遊びたい――。

「いまのおまじないって……」

マチコさんが訊くと、転校してしまう子が「六年生のひとが教えてくれたの」と答え、見送るほうの子が「ずーっと、二小の伝統になってるの！」と自慢するようにつづけた。

「そうそう、伝統だよねー。だって、ウチのお父さんも二小なんだけど、お父さんの頃からあったんだって。ほかの学校にはないから、二小だけの伝統なんだよね」

「すごく効き目あるって六年生のひとが言ってたよ」

「奇跡を呼ぶんだよね」

「だからまたエリちゃんと会えるよね」

「会える会える」

ケイコちゃんが友だちの誰かに伝えてくれた。その友だちが別の誰かに伝え、年下の子にも広がって、やがて代々語り継がれる伝統になった。

「あれ？　おばちゃん、泣いてるの？」

「なんで？　えーっ、わたし、なにもヘンなこと言ってないよね？」

「でも泣いてるよ」

「やだ、なんでぇ？」

わかった。わたしがこの町でいちばん会いたかったのは、昔のわたしだったんだ、と思った。だいじょうぶ。ちゃんといた。自分がこの町で暮らしたことの証《あかし》は、ここに残っていた。

胸のつかえが、すうっと消えていく。やっと、誰かのためにきちんと涙を流せる気がした。「誰か」の顔は浮かばないままでも、もう落ち込まなくていいんだ、と顔の見えない誰かが、そっと背中をさすってくれた。

二人が公園からひきあげて、頬《ほお》を伝った涙の痕もなんとか乾いた頃、電話が鳴った。

ケイコちゃんから――だと、さすがに話が出来過ぎになってしまう。

男のひとだった。元・四年一組の男子。ハセガワと名乗った。さっき体育館で写真を見つけたのだという。とてもなつかしくて、とてもうれしかった、と言ってくれた。

ハセガワくん、ハセガワくん、ハセガワくん……写真を手に記憶をたどったが、思いだせない。よそよそしい「です、ます」をつかったハセガワくんの口調も、マチコさんのことをはっきり覚えているというわけではなさそうだった。

写真のどこに写っているかを教えてもらったら、ああそういえば、と記憶がよみがえるかもしれない。

それでも、マチコさんは写真から顔を上げ、荒れ野になってしまった「下町」の風景に目を移した。まっすぐ見つめる。また目に涙が溜《た》まってくるのがわかる。

「この写真のために、わざわざ東京から来てくれたんですか？」

「ええ、まあ……」

「それで、いま、どこにいるんですか？」

マチコさんは強くまたたいて、涙を振り落としてから、言った。

「ごめんなさーい、もう東京に帰ってきてるんです」

「そうなんですか、せっかく来てくれたのに、すみません、もっと早く気づいてればなあ……」

「でも、また来ます」

自分でも意外なほど、きっぱりとした口調で言えた。それがなによりうれしかった。

ハセガワくんも、マチコさんの答えを喜んでくれた。「ですよね、うん、絶対にまた来てください」と返す声は、涙交じりにもなっていた。

「いまはみんな大変で、ウチなんかもずーっと避難所生活で、おふくろがまだ行方不明なんですけど……でも、来年の春、また来てください……来年間に合わなかったら、再来年でも、その次でもいいですから、みんなまた元気になって、町も復興して、そうしたら同窓会しましょう」

はい、と応えた。言葉だけでは足りない。なつかしい町に向かって、頭を深々と下げた。

電話を切って、ブランコ板の上に立った。

ブランコは何年ぶりだろう。息子が小学校に上がってからは公園に連れて行く機会もなかったから、十年近いブランクがある。立ち漕ぎになると、それこそ小学生の頃の自分と再会しなければならないかもしれない。

思いのほか板は不安定だし、鎖もよじれながら揺れどおしだった。ゆっくりと漕ごう。最初は小さな振り幅でも、少しずつ勢いをつけていけばいい。

おまじないの言葉は、「みんな」を十回。
つづけて、「また次の春」を十回。
膝《ひざ》を軽く曲げて、伸ばし、その反動を使って漕いでいった。
なつかしい町がゆらゆらと揺れはじめた。

しおり

入試の最中に地震があった。お昼少し前、社会の試験を受けているときだった。かなり大きな地震で、試験は十分近く中断した。

震度5弱だったと、早苗《さなえ》はあとで知った。数字で理解する前に、体で感じた揺れの激しさで、来たか、と思った。心の準備はできていた。そろそろだな、という予感もあった。

近いうちに大きな地震が来ると言われていた。国の専門機関の研究によると、今後三十年の間に九十九パーセントの確率で、マグニチュード7・5前後の地震が来るのだという。その町の子どもたちは皆、幼い頃から「地震が来たら」という話をおとなに言い聞かされていたし、学校でも学期ごとに避難訓練をつづけていた。

「もしも夜中に地震が来て、家がぺしゃんこになったらどうしよう」とおびえながら、その一方で「どうせいつか来るんだったら、さっさと来てくれたほうがいい」とも思う。友だちと地震について話すと、みんな似たようなことを思っていた。話をつづけていると、最後には地震が来る日を待ちわびているという結論になりそうな気がして、尻すぼみでおしゃべりが終わってしまうのも、いつものことだった。

その大地震がついに来た。よりによって、一生を左右する大事な県立高校の入試日に。タイミングは最悪だったが、揺れそのものは想像していたよりも軽かった。試験の監督官の指示で机の下にもぐり込み、しばらくたつと揺れは収まった。着席して静かに待つようにという校内放送が流れ、ほどなく、地震で中断していたぶん社会の試験時間を延長して、引き換えに昼休みを短縮するという指示が出た。

試験はなにごともなかったかのように再開された。午後からも余震は何度かあったが、ごく軽いもので、もう机の下にもぐる指示すら出なかった。

終わった。この半年ほどうっとうしい壁になって目の前に立ちはだかっていた高校入試も、いつかは体験しなければならないと覚悟していた大地震も――思っていたより、ずっとあっさりと。

試験の手ごたえは充分にあった。地震のほうも、この程度でいいわけ？　と拍子抜けするほどだった。これでしばらくは大地震の心配は要らない、ということになるのだろうか。だったら、ラッキー。自然と頰《ほお》がゆるむ。無事にすんでみれば、入試と地震が重なるのは、じつは最高のタイミングだったのかもしれない。

帰り道のバスの中で、慎也《しんや》も同じことを言った。

「面倒くさいことが二ついっぺんに終わってくれて、すっきりしたよな」

そうだろ、と早苗に笑いかける。試験が終わった解放感のせいか、興奮もしているのか、ふだんよりも饒舌《じょうぜつ》だった。

最初に試験を受けた国語の入試問題のことも、「惜しかったよなあ」と言う。「一時間目じゃなくて、社会の次の英語と入れ替わってればよかったのに」

「なんで？」

「五番の問題、覚えてる？」

「最後のやつ？」

「そう。相田みつをってひとの、詩だか習字だかわかんないけど、その問題」

相田みつをの作品を掲げ、その作品から感じ取ったことや考えたことを百六十字から二百字で書きなさい、という問題だった。

出題された作品は――。

〈しあわせは／いつも自分の／こころがきめる〉

「国語のテストが地震のあとだったら、もっと違うこと書けたと思うし、そっちのほうが気持ちがこもってたような気がするんだよなあ。だから、いい点取れたんじゃないかって思うんだけど」

「でも、かなり揺れたから、コンビニとか、商品が棚から落ちて大変だったと思うよ。海のほうだと津波が来たかもしれないし、エレベーターが止まったビルもあると思う」

早苗が咎《とが》めると、慎也はいたずらっぽく笑って応えた。

「ひとそれぞれでいいんだよ。俺はもっとすごい地震が来ると思ってたし、べつに海のほうに住んでるわけじゃないから、この程度ですんで幸せなんだ。今日ぐらいの地震でも不幸になるひともいるし、ならないひともいるし、ラッキーと思うひともいるし、サイアクって思うひともいるし……ばらばらでいいんだよ。相田みつをが言ってるのって、そういうことだろ？」

屁理屈《へりくつ》ではあっても、すっきりした顔で、気持ちよさそうにあくびをする。早苗も、胸の奥に微妙に釈然としないものを感じながら、まあいいか、と笑い返した。

「俺、高校に受かったら、本とか読もうっと」

「受かってからの話でしょ」

「だいじょうぶだって。作文はアレだったけど、国語はけっこうできたから」

模試のときよりもずっと手ごたえがある。ふだんは問題文を読み込むのさえ四苦八苦している小説の読解問題が、自分でも驚くほどすらすらと解けた。

認知症に侵されたおばあちゃんと、その介護に追われるお母さんの姿を、中学二年生の「わたし」の視点から描いた場面だった。女子の一人語りなのに話がすんなりと頭に入ったのは、よほど作品との相性がよかったのだろう。

「意外と面白かったんだよ、あの話」

「そう？　なんか暗くなかった？」

「いいだろ、そのほうがブンガクっぽくて」

すまし顔で言った慎也は、「つづきはどうなるんだろうな」と訊《き》いた。

「さあ……」

「長くないんだったら、読んでみようかなあ」

「長いと思うよ、けっこう」

「知ってるの？」

「うん。読んだことないけど、お母さんの本棚にあったような気がする。文庫じゃなくて、わりと分厚い本だった」

問題文の末尾には、出典の作品と作者の名前が記してあった。地味な作家だが、小学校や中学校の国語のテストにはよく出題される。高校で国語を教えている早苗の母親も、仕事柄その作家の本はほとんど揃《そろ》えているのだ。

「分厚くて文庫じゃないんだったら、買うと高い？」

「安くはないと思う」

「だったら借りる」

「誰に」

「おばさんに。どうせもう読んだんだろ？　帰りに寄って、持って帰るから」

「……なに考えてんの」

ずうずうしさにあきれる。どうせいつものことだから、とあきらめてもいる。そういうところが嫌いだったら、幼なじみの付き合いはつづけられなかっただろう。

慎也はまたあくびをして、しょぼついた目で「あー、でも、終わった終わった」と言った。

早苗も今度は素直に「終わったね」と応えた。

「春休みは、俺、釣りに行きまくるから」

「二次募集にならなければ、の話だよね？」

「だいじょうぶだよ、俺を信じろ」

「信じるもなにも、どっちでもいいけどね、そんなの」

二人の志望校は同じだった。もともと早苗の成績なら志望校の合格ラインは楽にクリアしている。問題は慎也のほうだった。成績は悪くないが、本番に弱いタイプだ。間抜けなミスをしたり、覚えているはずのことが思いだせなかったりしてしまう。早苗も憎まれ口をたたきながら、本音では少し心配していたのだが、この調子なら慎也のほうもだいじょうぶだろう。


三月九日、公立高校の一般入試。

三月十一日、中学校の卒業式。

三月十五日、公立高校の合格発表。

三月は、中学時代の終わりから高校時代の始まりへとバトンを渡す月――前の年も、その前の年も、さらにその前の年も、ずっとそうだったのに、今年は違った。

あまりにも大きな終わりが、四月が来るのを待っていたたくさんの始まりを、一瞬にして呑《の》み込んでしまった。

早苗と慎也は間違っていた。三月九日の地震の震源地は、いつか来ると警戒されていた場所ではなかった。地震が来たからもう安心だという理屈は成り立たないのだ。来ないはずの地震が、また来た。

三月十一日、午後二時四十六分。震度6弱。九日の地震より大きかったが、逆に九日の地震がそれなりに激しく揺れていたせいで、今度の地震はその強めの余震なのだろう、と考えるひとも多かったという。

午前中に中学校の卒業式を終えた慎也は、自転車で遠出をして、海岸にいた。シーズンの終わるカレイの投げ釣りを一人で楽しんでいたのだ。

地震が来たとき海岸のどこにいたのか、揺れが収まったあとでどっちに向かって逃げたのか、それとも逃げなかったのか、津波のことまで頭が回っていたのか、いなかったのか、なにもわからない。

海岸を襲った津波は、新興住宅地としてひらけた町を根こそぎさらっていった。

三月二十三日——津波から十二日後の調べでは、その町の死者は三百人を超え、行方不明になった住民は百人に達していた。

だが、町が津波に襲われたときにたまたま海岸を訪ねていたひとのことは、誰も知らない。慎也も、「行方不明」という居場所すら与えられない行方不明者の一人だった。

三月二十三日は、延期になっていた公立高校の合格発表日でもあった。

早苗と慎也は、志望校に合格していた。

高校の入学式は、例年よりずっと遅く、四月二十一日におこなわれた。両親が入学手続きを取っていたので、早苗と同じ一年二組の名簿には慎也の名前もあった。

担任の教師が「山崎《やまざき》、慎也」と名簿を読み上げたとき、返事はどこからも聞こえてこなかった。

少し間をおいて、教師は「……欠席」とつづけ、次の生徒の名前を読み上げた。

＊

二人の町は高台に位置しているので、津波は届かなかった。ライフラインの復旧も思いのほか早かったし、いつか来るはずの地震に備えて耐震工事をしてある家屋が多かったので、目立った被害はほとんどない。早苗の家も、慎也の家も、食器棚や本棚が倒れた程度の被害ですんだ。

悔しさと悲しさが、よけいつのる。あの日海にさえ行かなければ、慎也は無事だったはずだ。中学校の生徒で亡くなったり行方不明になったりしたのは、慎也ただ一人——

同級生の誰かの親が「運が悪かった」という言い方で慰めたら、慎也の母親の由美《ゆみ》さんが泣きながら食ってかかった。そんな噂《うわさ》が、春休みのうちに流れていた。

三月から四月にかけて、慎也の両親は毎日のように海岸に通いつづけ、避難所を回り、遺体安置所になった体育館にも顔を出してきた。

三月のうちは、まだ瓦礫《がれき》はほとんど手つかずの状態だった。ガソリンやゴムの焦げたような異臭がたちこめるなか、自衛隊が黙々と捜索活動をつづけていた。

防風林の松の木が端《はし》からなぎ倒されたせいで、海からの風は一日中びょうびょうと吹きすさんでいた。遺体が発見された場所には、赤い布をつけた棒が目印として立てられる。その赤い布が、風にあおられてちぎれそうになるほど揺れる。

新興住宅地らしい整然とした町並みが自慢だった海岸地区は、暗い色の汚泥《おでい》にまみれた荒れ野になってしまった。無数の漁船やボートが打ち上げられ、もっと数多くの自動車がひしゃげて泥にめり込んでいた。一階部分が流され、半壊した二階部分と鉄骨だけが残された民家がある。土台ごと波にさらわれたあとに門柱だけが、まるで墓石のように立っている家もある。赤い布は、はるか遠くまで散らばっていた。その色は、三月なのに、秋の彼岸花を思い起こさせた。

捜索がひとわたり終わると、瓦礫の撤去が始まった。撤去中でも遺体が発見されることはしばしばあった。遠くから見ていてもよくわかる。重機が停《と》まり、別の区画で作業をしていた自衛隊員が小走りに集まってくると、それが遺体発見の合図なのだ。水に浸《つ》かった遺体を引き上げてシートにくるみ、担架に載せる、その作業を数人がかりで丁寧におこなっていた。実際の作業には加わらない隊員にも、痛ましい遺体を外の視線から隠すための壁をつくる役目がある。

慎也の父親の修太《しゅうた》さんは、遺体が発見されるたびにうめくような叫び声をあげて、担架を運ぶ隊員のもとに駆けていった。何日も通い詰めていると顔なじみの隊員もできる。修太さんが担架に取りすがる前に、息子さんではありませんよ、と申し訳なさそうにかぶりを振る隊員もいた。

由美さんは違った。決して駆け寄らない。そもそも遺体を探しに海岸に来ているわけではない。元気なままの慎也がどこからか、ふらっと姿を見せる瞬間を楽しみにして、迎えに来ているだけなのだ。

帰り道には無口になる修太さんとは逆に、由美さんはむしろ家が近づくと胸がときめく。留守中に慎也が帰ってきているかもしれない。「お父さんもお母さんもどこに行ってたんだよ」と、ぷんぷん怒りながら、ダイニングでありあわせのものを頬張っているだろうか。それとも、疲れきって帰ってきて、自分の部屋のベッドで寝入っているだろうか。どちらでもいい。どんな「ただいま」でも心の底からうれしい。玄関の鍵は、そのために、いつも開けてあった。

五月に入った。

三月の頃にはどこから手をつければいいかわからなかった瓦礫の山も、だいぶ片づけられた。体育館に安置されていた遺体は身元がわかったものから引き取られていき、避難所生活を送るひとたちの数も、少しずつ減ってきた。

慎也はまだ帰ってこない。手がかりになりそうなものも見つかっていない。生きて帰ってくる可能性は、もうほとんどないだろう。親戚の中には「葬儀だけでも早くあげてやって、慎也を成仏させてやらないと、かえってかわいそうだ」と言うひともいるし、修太さんも海岸からは足が遠のいてしまったが、由美さんはどうしてもそれを認めない。

慎也はいまも書類上は高校に在籍している。ただし一年二組の教室に机はなく、先生が出席をとるときにも慎也の順番は最初から抜かすようになった。それが、慎也が一度も通うことのなかった高校が選んだ現実だった。

由美さんの決めた現実では、慎也は亡くなってはいない。この世界のどこかにいる。

いまはその居場所がわからず、連絡がつかないというだけのことなのだ。

「わかってるのよ、おばさんだって」

早苗の母親の理津子《りつこ》さんは言う。

「理屈ではわかってるんだけど、親の気持ちは理屈だけじゃすまないの」

理津子さんと由美さんは、産婦人科医院のマタニティ体操教室以来の付き合いだった。

「母親」としての歴史を一緒に歩んできたことになる。

由美さんは理津子さんの前では本音を素直に語るし、理津子さんも、ときどき夜遅く由美さんからかかってくる長電話に辛抱強く付き合っている。

その電話で、由美さんは泣きながら訴えた。

慎也の部屋になかなか入れない。

窓を開けて風を入れ、いつでも慎也を迎えられるようにしていても、部屋を片づけたくはない。しわくちゃのベッドのシーツも、脱ぎ捨てたパジャマも、イジェクトボタンを押してソフトが半分外に出たゲーム機も、かけらの残ったポテトチップスの袋さえ、そのままにしてある。

部屋を片づけると、自分の気持ちまで整理されてしまいそうで怖い。

「部屋と一緒に？」

　早苗が訊き返すと、理津子さんは「そういうものだと思うよ、ひとの心って」とかすかに笑った。「だから、それでいいのよ、って言ってあげたんだけどね」

「ずっとそのままってわけにはいかないんじゃないの？」

「うん、いかないよね」

「だったら……」

「それはおばさんにもわかってるんだってば。わかってるんだけど、どうしようもないの」

「だから、気持ちを整理して……」

「そんなことしたら、ぜんぶ終わっちゃうじゃない」

「でも、おじさんやおばさんだって、これからのこと考えなきゃいけないんだし、なんていうか、前に進まなきゃ、って」

「もういいから、あんた黙ってて。親子とか夫婦とか、そういうのって、割り切れることばっかりじゃないんだからね」

　叱《しか》られてしまった。子どもにはまだわからない、と突き放されたような気もする。

　でも――と、早苗は思う。

　どうしようもないのはこっちのほうだよ、と言いたい。

慎也がいなくなってしまったのは、とても悲しい。それはもう、間違いなく、ほんとうのことだ。

けれど、その悲しみは、落ち着く先が見つからないまま、胸と喉《のど》のはざまにつっかえるように浮かんでいる。中学時代の友だちに訊いても同じことを言っていた。

亡くなった、と決めてくれたほうがいい。

奇跡を信じるには月日がたちすぎている。もう二度と会えないんだ、と思わせてほしい。あきらめさせてほしい。

そうすれば、思いっきり泣いてあげられるのに。

慎也に対して幼なじみ以上の感情を抱くことはなかったものの、だからこそ、男子や女子の区別がほとんどない幼い頃に戻って、わんわん泣くことができるだろう。

現実にはありえないようなか細い希望を大切に守りすぎて、きちんと悲しむことができないというのは、やっぱりおかしいと思う。心の底から悲しませてほしい。無念と悔しさいっぱいのお別れをさせてほしい。

お墓参りもしたい。仏壇にお線香だってあげたい。なにより、おっちょこちょいで元気だった慎也の思い出を、みんなで話したい。なつかしい話は尽きないはずだし、きっと最後にはみんな泣いてしまうはずだ。

そのほうが慎也も喜んでくれるだろうし、ありったけの涙を振り絞って流したあとは、こっちの気持ちもすっきりするだろう。

理津子さんにその思いをぶつけてみた。

なるほどね、と理津子さんは小さくうなずいてから、まっすぐに早苗を見据えた。

「慎也くんでも誰でもいいんだけど、津波で亡くなったひとは、あんたをすっきりさせるために亡くなったわけじゃないからね」

ぴしゃりと言われた。

＊

由美さんが早苗の家を訪ねてきたのは、六月十一日——あの日からちょうど三カ月目の夕方だった。

「これ……慎也がずっと借りっぱなしだったのを思いだしたから」

玄関で差し出されたのは、高校入試で出題された小説の単行本だった。

「入試のあとで貸してもらったのよね。ごめんね、いままで忘れてて」

「……わたしも忘れてました」

小さな嘘《うそ》をついた。ほんとうは覚えていた。きっと慎也の部屋のどこかに置いてあるのだろうと思っていたから、その本のことは自分から口に出すつもりはなかった。

「昨日、慎也の部屋を片づけてたら、ベッドと壁の間に落ちてたの。寝る前に読んで、そのまま枕元に置いてたんだけど、寝てるときに手かどこかがあたって、隙間に落としちゃったんだと思う。ひとに貸してもらった本なのに、なにやってるんだろうね、ほんと」

あいつならありうる、と笑い返す前に、うそ、と声が漏れそうになってしまった。

部屋を片づけた、と由美さんは確かに言った。ベッドと壁の隙間に落ちた本を見つけるぐらいだから、窓を開けて空気を入れ換えたという程度ではなかったのだろう。

「あの子、小説なんてほとんど読んだことないのに、見栄張って、こんなに分厚い本借りちゃってねえ。ほら早苗ちゃん見てよこれ、全然読んでないんだから」

しおりの挟まった頁《ページ》を広げて見せた。

五十二頁と五十三頁の間に挟んであった。全部で四百十六頁あるから、ほんとうにまだ序盤——八章あるうちの第一章を読み終えて、次は第二章から読もうと思ってしおりを挟んで、それきりになってしまったのだ。

本についているしおり紐《ひも》ではなく、自分のしおりを使っていた。

葉っぱのしおりだった。葉脈だけが網目模様に残っている。色は真っ白だったが、つくりもののようには見えない。ほんものの葉っぱを使って、薬品で葉脈以外を溶かし、色を付けたのだろうか。

「早苗ちゃんにお礼をしたくて、しおりをつけて返そうと思ってたのかしらね」

「……この本、お母さんのだから」

早苗はうつむいて言った。口にしたあとで、言わなければよかったそんなこと、と悔やんだ。

由美さんは苦笑して、小さくかぶりを振った。

「でも、早苗ちゃんにお願いして借りたんだから、慎也は早苗ちゃんにお礼したかったんだと思う」

ほんとうだろうか。わからない。

うつむいた顔を上げづらくなってしまった。

「片思いしてたような気がするけどなあ……違うかなあ」

由美さんはいたずらっぽく言った。遠い昔をなつかしんでいる口調と表情でもあった。どう応えればいいのか困惑する早苗に、「早苗ちゃんは読んだの？」と訊いてきた。

「いえ、まだ……お母さんは読んでると思いますけど」

「どんな話なんだろうね。読んでみようかなって思ったんだけど、わたしが勝手に読んじゃうといけないような気がして」

そんなの関係ないのに、という気もするし、由美さんの気持ちも、なんとなくわかる。

「慎也は面白かったのかなあ、これ。どうせだったら、もうちょっとたくさん読んでればよかったのに。こんなのだったら、お話もまだ始まってないじゃないの？」

本を貸したあと、三月十日も十一日の午前中も話す機会はなかった。もしも話していたら、この本について感想を聞けただろうか。全然違う話をしていただろうか。「俺、卒業式のあと、釣りに行くから」と聞いていたら、「行くのやめなよ」と止めて――いなかったはずだから、うつむいた顔をまだ上げられない。

「お母さん、まだお仕事？」

「ええ……すみません」

「じゃあ、ちょっと上がっていい？　高校の話、いろいろ聞かせてよ。もうだいぶ慣れたでしょ？　どんな学校なのか、あとで慎也にも教えてあげたいし」

ケーキ買ってきたから紅茶でもいれてちょうだい、と手に持ったケーキ屋の箱を軽く掲げて笑った。

由美さんはずっと聞き役だった。早苗は高校のことを楽しそうに話していいのかどうかためらっていたが、かえって由美さんのほうがよく笑い、「それで？　それで？」とテンポよく合いの手も入れて、話を陽気な方向に持っていった。

ずいぶん痩せた。白髪《しらが》も増えたし、身なりや化粧にかまわなくなったせいもあって、いっぺんに何歳も歳《とし》を取ったように見える。

それでも今日の由美さんの表情からは、いままでのような張り詰めた険は消えていた。

もしかしたら、と思いながらも訊けずにいるうちに、理津子さんが帰ってきた。

理津子さんは由美さんが訪ねてきた理由を最初から知っていたのか、早苗を「宿題してきなさい」と早々に自分の部屋に追い払ってから、由美さんと二人で話し込んだ。

長い話になった。途中で由美さんのすすり泣きの声が聞こえた。

予感が当たっていたことを、早苗はそれで知った。

四日前の六月七日に、法務省は死亡届の提出手続きを簡略化することを決定した。たとえ遺体が発見されていなくても、家族の申述書などがあれば市町村役場に提出できることになったのだ。

法務省のホームページからは、申述書の様式がダウンロードできる。由美さんが帰ったあと、理津子さんはさっそくその内容を確かめて、「ひどいなあ……」とうめき声でつぶやいた。

早苗も見せてもらった。ざっと目を通しただけでも、胸が締めつけられた。

アンケートか問診票のような様式だった。

たとえば――。

〈本人の生存を、いつ、どのような方法で、最後に確認しましたか〉

〈現在に至るまで、本人から連絡がありましたか〉

〈本人からの連絡がない理由について、どのように考えますか〉――回答の選択肢は二つ。〈本人の死亡以外の理由は考えられない〉か、記述式の〈その他の理由〉。

〈親族のうち、本人が死亡したものと納得していない人がいますか〉――今度も選択肢は二つ。〈いない〉ならそれでいいが、〈いる〉場合には、本人との関係や納得していない理由を記入することになっていた。

「こんなの家族が書かなきゃいけないの？」

思わず訊くと、理津子さんは「お役所の書類だからしかたないわよ」とため息をついた。

「慎也くんのお父さんとお母さん、これを書いたの？」

「うん、ゆうべね」

「……つらかっただろうね」

よけいなこと言わないの、とたしなめられるだろうかと思っていたが、理津子さんは黙ってうなずいた。

申述書はどこまでも事務的につくられている。必要最小限のもの以外はすべて削《そ》ぎ落とされ、理由を答える箇所はあっても、感情を伝える項目はどこにもない。理屈では割り切れない思いや、すっきりしない思いを捨て去らなければ、家族の死を届け出ることはできないのだ。

「でも、これくらい冷たくてそっけないほうが、かえっていいのかもね。踏ん切りがつくもんね」

理津子さんはそう言って、「もう三カ月なんだから……」と自分に言い聞かせるようにつづけた。

ゆうべ申述書を書き、今日の午前中に修太さんが警察署に出向いて、慎也が発見できなかったことの証明書を出してもらった。そして午後、その証明書と申述書を市役所に提出して、受理された。明日の朝には菩提寺《ぼだいじ》や親戚に連絡して、遺体も遺骨もない葬儀の準備にとりかかるのだという。

「近いうちに高校にも退学届を出すって言ってた」

「そう……」

名簿からも慎也の存在が消える。名前だけなら残しておいてもいいのに——身勝手だとわかっているから、くちびるを噛《か》んだ。

自分の部屋に戻って、由美さんから返してもらった本を開いた。木の葉のしおりは、手にとってみると、やはりほんものの葉っぱだった。

インターネットで調べてみた。アルカリ性の漂白剤の原液に生の葉っぱを数時間浸《つ》けておくと、葉脈以外のところがふやけてやわらかくなり、歯ブラシや筆を使えば簡単に取り除ける。あとは白くなった葉っぱをインクで着色すればいいだけなので、出来映えさえそれほど気にしなければ家庭で手作りすることもできるのだという。

でも、これは慎也くんがどこかで買ってきたんだろうな、とスタンドの明かりに透かして、ふふっと笑った。文房具屋さんだろうか。雑貨屋さんだろうか。そういうお店でお洒落《しゃれ》なものを買うのが似合うタイプではないから、どんな顔をして品物を選んでレジに向かったのか、想像するとおかしくて、なんでこんなもの買ったんだろうなあ、と少しあきれて、気がつくと嗚咽《おえつ》が漏れていた。

三月十日の夜、ベッドで眠りに就く前にしおりを本に挟んだとき、慎也は翌日の午後に自分を待っている運命には気づいていない。しおりを本に挟むというのはそういうことだ。一番小さな未来を信じた証《あかし》が、薄いひとひらのしおりなのだ。

明日、また――。

また、明日――。

あの夜も、数えきれないぐらいたくさんのひとが読みかけの本にしおりを挟んで眠り、それきりになってしまったひともたくさんいるのだろう。

しゃくりあげながら、小説を最初から読んでいった。章ごとに語り手の替わる作品だった。入試に出題されていたのは第三章の一部だったが、慎也が読んだ第一章は、一見すると、そことはなんの関係もなさそうなパートだった。

つまらなかったかもね、と涙を拭うのを忘れて笑う。

ぱらぱらめくってみた感触では、ストーリーは第二章から勢いがついている様子だった。

十日の夜のうちにがんばって第二章も読めばよかったのに、と洟《はな》をすする。そうすれば、つづきが気になって釣りをやめていたかもしれないのに。涙がまた目からあふれる。

泣いても泣いても、すっきりなんかしない。考えてもしかたのない後悔が、どうしようもないことはわかっているのに、次から次へと湧いてくる。

第一章を読み終えた。

早苗は挟んであったしおりをはずし、小さく息を継いで、涙で文字がにじんで読み取れない白い頁を、ゆっくりとめくった。

記念日

「ねえ、余ってるカレンダーって、ウチにない？」

学校から帰ってくるなり、麻衣《まい》はお母さんに訊《き》いた。

「どうしたの？」

お母さんが訊き返すと、「ボランティア」と言う。「被災地に送ってあげるんだって」

「カレンダーを？」

「そう。だって、みんな津波で流されちゃったでしょ？」

「あ、そうか、そうだね」

三月に、大きな地震と大きな津波がこの国を襲った。冬の長い北の地方を中心に、たくさんのひとが亡くなった。命からがら助かったひとたちも、家を失い、仕事を奪われて、厄災から二カ月たったいまも、生活の再建の目処《めど》はほとんど立っていない。

避難所にいるひとたちにカレンダーを送ろう、と発案したのは、新年度から五年一組の担任になった松下智子《まつしたともこ》先生だった。

「それで先生が、これをお父さんやお母さんに読んでもらってください、って」

カレンダーの提供をお願いするプリントを渡された。

まず最初は、被災地や避難所の現状から――。

食べ物や衣類など、当座の「生きること」に必要な支援は、なんとか現地に行き渡りつつある。だが、その次に必要になるはずのもの、いわば「暮らすこと」への支援までは、まだ手が届いていない。

なるほどね、とお母さんがプリントを読みながらつぶやくと、麻衣はまるで自分の意見が認められたみたいに「でしょ？　でしょ？」とうれしそうに言った。若くてきれいで、アニメで人気の声優のなんとかさんと声がよく似ているという松下先生のことが、麻衣は大好きなのだ。

段ボール箱をばらして仕切りをつくっただけの避難所での生活には、とても「暮らし」と呼べるほどの落ち着きや安らぎはないのだという。なにより、避難所にいると時間や日にちの感覚が薄れてしまう。また、あまりにもつらい思いをしてしまった被災者の中には、あの日以来、時の流れが止まったようになっているひとも少なくない。

お母さんは顔を曇らせて、ため息をついた。麻衣も「かわいそうだよね、被災者のひとって」と言う。

「そんな言い方しないの」

「あ、そっか、被災者のひとってヘンだね。日本人のひとみたいで」

「そこじゃなくて、かわいそうってところ。生意気なこと言わないの」

「だってほんとに、かわいそうじゃん」

「……まあ、いいけど」

プリントを読み進めた。松下先生はゴールデンウィークに被災地に出かけて、瓦礫《がれき》を片づけるボランティアをしたのだという。そのときに知り合った避難所支援のスタッフに、いま必要なものを訊いてみた。

時計が欲しい、と言っているひとが多いらしい。

それから、カレンダー。

お母さんにも、その気持ちはなんとなくわかった。具体的に予定表としての役目を果たすのはもちろん、たとえなにも書き込まなくても、カレンダーというのは、ただそこにあるだけで妙に落ち着く。時計もそうだ。いまの時刻を知るだけなら携帯電話でも間に合うのだが、時計のない部屋の風景はなんだか腰が据わらないというか、大事なものが抜け落ちてしまっているというか……。

プリントは、こんなふうにつづいていた。

〈先日、学級会で「被災地のみんなになにができるだろう」と話し合って、カレンダーを送ることにしました。もう五月なので、使わないカレンダーをお持ちのご家庭は少ないかもしれませんが、もしもまだお持ちでしたら、ぜひ提供していただけませんでしょうか。また、すでにお使いになったカレンダーでもけっこうです。どうかご協力をよろしくお願いいたします〉

カレンダーはパソコンで簡単につくれる。オリジナルのカレンダーを送ったほうがいいんじゃないか、というアイデアも出たらしい。

だが、現地に連絡をとって、それとなく感触を確かめてみると、凝ったものではなく、ごくあたりまえの、一枚に二カ月ずつで日付の上には四季折々の写真という、年末に銀行や仕事の取引先や近所のお店からタダでもらえるような、そういうカレンダーが一番いいのだという。

へえーっ、と意外に思う一方、なるほどねえ、と少ししんみりと納得もする。「ごくあたりまえ」が一番——「ごくあたりまえ」を断ち切られたひとたちの無念に、あらためて胸を締めつけられた。

プリントから顔を上げると、それを待ちわびていたように麻衣が勢い込んで言った。

「お母さん、カレンダーあるよね？」

うーん……と眉《まゆ》をひそめた。年末ならいくつも余っていたのだ。処分に困って、もったいないなあ、と思いながら年明けにゴミとして出してしまった。

「ないの？」

「新しいのは、ちょっと」

「使ってるやつでもいいって」

「でも、いま使ってるのは、ウチでも必要だから使ってるわけだし」

「えーっ……」

「ちょっと待ってて。お父さんが帰ったら訊いてみる。会社に余ってるカレンダーあるかもしれないし」

「じゃあ、いまから訊いて！」

張り切っている。先生の期待に応えたいのと、少しでも被災者の役に立つことがしたいのと、両方なのだろう。

しかたなく携帯電話でメールを送ると、ほどなく返事が来た。

残念ながら――という結果だった。

「どうだった？　どうだった？　見せて見せて」

覗《のぞ》き込んでくる麻衣から画面を隠しながら、お母さんは、リビングとキッチンにあるカレンダーのどちらかを送るしかないな、と決めた。

＊

お父さんに相談すると、「ウチのを送るのかあ」と、思いのほか渋い顔をされた。

「でも、二つあるうちの一つだし、予定は手帳に書いてるから」とお母さんは言った。

「それはいいんだけど、避難所って、家族を亡くしたひともいるわけだろ？　そういうひとのところにウチのカレンダーが行くと、ちょっとマズくないか？」

だってほら、とお父さんはリビングのカレンダーを、ぱらぱらとめくっていった。

お母さんにもすぐにわかった。思わず「あっ」と声をあげて、ああ、そうかあ……とうなだれた。

「台所のほうも同じだろ？　やめたほうがいいよ」

どちらも二カ月で一枚のカレンダーだった。ぜんぶで六枚あるうち、すでに二枚が用済みになって、あとは四枚。そのすべてに、マーク付きの日がある。家族の記念日だ。六月にお父さんの四十歳の誕生日、八月には麻衣の十一歳の誕生日、九月は結婚記念日で、同じ九月にはお母さんの三十九歳の誕生日もある。十一月はこの家に引っ越してきた日、十二月は——お父さんが「やめろよ、恥ずかしいから」と止めたのに麻衣が面白がってマークをつけた、お父さんがお母さんにプロポーズをした日。

「説明は書いてなくても、ハートマークとか花丸マークの形だけでも、見るひとによっては嫌な気分になるかもしれないしな」

「でも、麻衣、すごく張り切ってるし、その気持ちは大事にしてあげたいでしょ」

「それはそうなんだけどなあ……」

二人はほとんど同時にため息をつき、タイミングを合わせたように「じゃあ」「だったら」と口を開いて、「消すしかないよね」「消しちゃうか」と言った。

紙質やマークの大きさを比べて、リビングのカレンダーのほうが消しやすいだろう、となった。もちろんどんなに丁寧にやっても、跡は残る。「でも、しかたないよな」「うん、しょうがないよね」と二人で言い訳しながら、修正液でマークを消していった。

あとで訊くと、ほかの子の家でもそれぞれ苦労したらしい。余っているカレンダーがなかったので、文具店や雑貨店を回って、四月始まりのカレンダーの在庫を探してもらった子がいた。麻衣は「ウチもお古じゃなくて、そうすればよかった」と、しばらくしょんぼりしていた。

年間カレンダーはいくつか集まっていたが、地震と津波の起きた三月十一日の日付をずっと見るのはキツいんじゃないか、ということで送るのを取りやめた。同じ理屈で、まっさらなカレンダーも、四月までのページは切り取ってから送ることになった。いまは五月なので、どちらにしても四月までのカレンダーは用済みのはずなのだし。

海の写真のカレンダーも自粛した。犬や猫の写真のカレンダーも、ペットと離ればなれになったひとがたくさんいるというニュースをテレビで観《み》た子がいたので、学級会で話し合った結果、送らないことにした。

松下先生は保護者宛てのプリントで〈万が一にも被災者の方々のお気持ちを傷つけることのないように、と考えました。なにとぞご理解くださいませ〉と書いていた。

保護者の中には「せっかくの厚意を無にされた」と不満を漏らすひともいないわけではなかったが、麻衣の両親は「それでいいんだよ」「自己満足で相手を傷つけるのって最低だもんね」と先生の判断を支持した。

とにかく万全を期したのだ。振り返ってみても、どこにも間違っているところはないはずだった。

ところが、カレンダーを送ったあとしばらくたって、窓口になったボランティア団体から松下先生に連絡が来た。

四月までのページを送ってもらえませんか――。

もっと細かく言うなら。

三月十一日以前のカレンダーが欲しいんです――。

*

松下先生は一学期の終わりの保護者会でその件を報告して、子どもたちにはなにも伝えていないので、と何度も念を押してから、深々と頭を下げた。

「わたしの配慮が足りなかったんです」

避難所にいるひとたちは三月十一日を振り返りたくないんだ、と決めつけていた。あの日以前の「ごくあたりまえ」だった日々を思いだすと悲しさがつのるだけじゃないか、とも思い込んでいた。

送ったカレンダーには未来の日付しかない。それでいい。悲しみから立ち直って前に進んでいくために、その道しるべとして使ってほしい、と願っていた。

「でも、それ、全然間違っていました……」

先生はひどく落ち込んでいた。申し訳なさそうだった。

保護者会に出席していた麻衣のお母さんは、きょとんとして、まわりのひとたちと目を見交わした。どこが間違っているのだろう。さっぱりわからない。

ＰＴＡ委員の細野《ほその》さんが、みんなを代表して「どんなふうに間違ってたんですか？」と言った。「いまお話をうかがってると、先生の考え、正しいと思いましたけど」

先生は、ありがとうございます、と寂しそうに微笑《ほほえ》んで、「でも」と返した。「よーい、どん、で新しい毎日が始まるわけじゃない、って言われました。前だけを向いて走るのって無理なんだ、って……ときどき後ろを振り向きながらじゃないと、もたない、って……」

未来の日付しかないカレンダーを受け取ったひとたちは、東京の小学生たちの厚意に感謝しながらも、みな、複雑な表情を浮かべていたという。それも、三月十一日につらい目に遭ったひとほど、表情の陰影が濃く、深かった。

「わたしが勝手に、三月十一日以前を『なかった』ことにしちゃったんです。でも、ほんとうは、『あった』んですよね、あたりまえですよね、あの日までみんな、ふつうに、あんなことが起きるなんて夢にも思わずに生きてて、暮らしてたわけで、それを『なかった』ことにしちゃうのって、ひどいですよね、ほんと、ひどいんです……」

先生の声は途中からくぐもって、低く沈んだ。

「四月だって、みんな生きることに必死で、なにがなんだかわからないまま、とにかく必死で生きるしかなくて、だから日付が欲しいのに、自分がいつなにをやっていたのか確かめるための目盛りみたいなのが必要なのに、わたしが勝手に四月を『なかった』ことにしちゃったんです。せっかく皆さんがカレンダーを持って来てくださったのに、ほんとうにすみません、ごめんなさい、申し訳ありませんでした……」

最後のほうは涙交じりの声になってしまった。

あわてて腰を浮かせてなにか言いかけた細野さんは、結局言葉を出せないまま、ため息をついて椅子にまた座り直した。麻衣のお母さんも、慰めや励ましの言葉を探したが見つからない。それ以前に、お母さん自身、なんともいえない苦い思いに包まれていた。

ほかの出席者も同じだったのだろう、教室はしんと静まりかえってしまった。

ある日、カレンダーを受け取ったお年寄りの夫婦が、避難所に詰めているボランティアの本部を訪ねてきた、という。「もしできれば、三月のページがあるカレンダーに取り替えてもらえませんでしょうか」と、遠慮がちに、すまなそうに申し出た。夫婦は津波で自宅を流され、介護施設にいた夫の九十代のお母さんも亡くしていた。その二人が最後にお母さんと会った三月七日の日付が、送ってもらったカレンダーには載っていないから。

カレンダーを仕切りの段ボールに掛けていた家族は、その隣に、手書きで一月から四月までの日付を入れた紙を貼っていた。その紙には、学校の行事やバレンタインデーが書き込んであった。三学期の始業式はいつだったっけ、学年末試験はいつ始まったんだっけ、新年度の始業式は四月何日のはずだったんだっけ……と中学生の女の子が記憶をたどりながら記入していったのだ。

ボランティア団体の担当者は、そんなことを松下先生に教えてくれたあと、「ほんとうは、これは伏せておくつもりだったんですが……」と前置きして、さらにつづけた。

カレンダーをいったん受け取ったものの、数日後に「かえって悲しくなるから」と返しに来たひとがいた。未来の日付しかないカレンダーを見るなり、憤然とした顔で「ウチは要らない」と断ったひともいた。

担当者は「もっとしっかり希望をリサーチして、詰めてから、お話しすべきでした」

と先生に謝ったのだという。実際、最初から「四月までのページも必要なんです」と言ってもらっていれば、それに合わせられたのだ。

ただ、みんながみんな、複雑な思いでカレンダーを受け取ったわけではない。「助かるなあ」と屈託なく喜んでくれたひとや、「ここから新しい人生を始めるしかないんですものね」とやる気をあらためて示したひとや、未来の日付だけのカレンダーを「東京の小学生も『がんばれ』って応援してくれてるんですねえ」と受け止めてくれたひとも、確かに——むしろ人数から言えば、そちらのほうがたくさん、いる。

だから、すべてが間違いだったわけではない。

けれど、すべてが正解だったわけでもない。

松下先生は、パソコンであらためてカレンダーをつくり、なるべく市販のカレンダーに近い紙を探して、わざわざデータの出力センターまで出かけて、自費で印刷した。だが、そのカレンダーを送っても、すべてのひとが喜んでくれるかどうかはわからない。

それでも、喜んでくれるひとが誰もいない、というわけでもない。

ようやく少しだけ元気を取り戻した先生は、「難しいですね、ひとの心は」と赤く潤んだ目をしばたたいて、ぎごちなく笑った。

会社から帰宅してその話を聞いたお父さんは、「なるほどなあ……」とうなずいた。

「確かに、三月十一日までの生活を否定されちゃうのってつらいかもな。そこは、俺にもちょっとわかる気がする」

「でも、こっちは否定するつもりなんてないわけで、よかれと思ってやったことなんだから」

納得のいかない声で言い返すお母さんを、まあまあ、となだめてつづける。

「世の中って、そういうものだって。四月までのページを残して送ると、今度は逆に『せっかく忘れようとしてるのに』って言うひとが出てくるんだよ、どうせ」

「まあね……」

「みんなそれぞれ事情も違うんだし、考えてることも違うんだし、被災した状況だって違うんだよ。それをひとまとめにすることのほうがおかしいんだ。被災地だって、街なかと過疎の村では全然違うよな。それを『被災地』とか『被災者』っていう一言でまとめるのって、やっぱり間違ってるんだよ」

「わたしに言われても知らないわよ」

保護者会のあと、ずっと機嫌が悪い。落ち込んでいるだけでなく、ざらついた苦いものが、胸にある。

「まあ、だから、全員を一つのことで納得させるのは難しいし、無理なんだよ」

わかる。それはよくわかる。いまさら言われたくないほど、ちゃんとわかっている。だからこそ、カレンダーを受け取ってくれなかったひとや、返しに来たひとや、四月までのページが欲しいと言ったひとたちに対して——ではなく、もやもやとして形も色もはっきりしないなにかに対して、むしょうに腹が立つ。

「なーんかさあ……」

そっぽを向いて、子どものように口をとがらせた。「タダでもらったものに、ケチつけないでほしいよねー」

「おい——」

ぴしゃりと言われ、にらまれた。

「ごめん……いまの嘘《うそ》、冗談だから」

拗《す》ねた顔や声のまま、謝った。

お父さんは、やれやれ、とため息をついて、「子どもたちには先生のほうからなにか言ったのか？」と訊いた。

「お礼の感想だけ。取り替えてほしいとか、そういうのは、いまは内緒にしておくって」

「そのほうがいいよ。せっかくがんばって送ったんだし」

「もうちょっと時間がたって、六年生になってから……卒業するときとか、とにかくもう少しみんな大きくなってから、必要だと思ったら話したいと思います、って」

保護者会でも、それで話がまとまった。現実の難しさや厳しさを思い知らせるよりも、いまは、困っているひとに手を差し伸べる優しさを持つことを肯定させたい。

「でもね、先生の話を聞いてたら、だんだん不安になってきちゃったのよ」

「なにが？」

「ウチのカレンダー、どんなひとがもらったんだろう。修正液でマークを消してるって、いかにもお古を送りましたってことじゃない？　バカにするなって怒るひともいるかもしれないよね」

お父さんはこわばった顔で、「でもなあ」と返した。

「俺たちだって手間暇かけて消したんだし、それを気に入らないなんて言われたら、麻衣の気持ちまで踏みにじられたようなものだから、俺、許さないぞ」

さっきとは立場が逆になった。お父さんもすぐにそれに気づいて、きまり悪そうに笑いながら、「親切っていうのは、ほんとに難しいよなあ」と、しみじみ言った。

＊

わが家のカレンダーの行き先が気になったのは、虫の知らせだったのだろうか。

夏休みに入って間もない頃、松下先生から電話がかかってきた。

「麻衣ちゃんが『カレンダーにマークが付いてたのを修正液で消したんだよ』って言ってたのを覚えてたので、いちおうお伺いしようと思いまして」

ボランティア団体の担当者から、先生宛てに、また連絡があった。避難所から同じ市内の仮設住宅に移った佐藤《さとう》さんというひとの問い合わせの伝言だった。

薄暗い避難所にいた頃には気づかなかったが、もらったカレンダーにマークを修正液で消した跡が何カ所もあった。なんの印だったのか気になるので、もしよかったら、送ってくれたひとに訊いてほしい——。

先生は最初、てっきりクレームだと思っていたらしい。

「でも、そうじゃなかったんです」

佐藤さんは恐縮しきりだったという。

大切な日のマークを消してまでカレンダーを送ってくれたことが、とてもうれしいし、とても申し訳ないので、もし消したマークの形を教えてもらえれば、あらためて同じものをカレンダーに書き込みたい——。

お母さんは思わず、やだ、と苦笑した。「ですよね、意味ないですよね」と先生も笑い返す。

確かになんの意味もなく、役にも立たないことだった。だが、それがじわじわと胸に染みてくる。外はうだるように暑い真夏なのに、胸にほんのりとした温《ぬく》もりが広がるのが心地よかった。

「どうかお気づかいなく、って伝えてもらえますか」

お母さんはそう言って、「あと、ありがとうございます、とも伝えてください」と付け加えた。先生も、もう笑わずに「わかりました」と応え、担当者から聞いた別の話も教えてくれた。

「一月から四月までのカレンダーって、向こうでは特別なんですって。津波があってもなくても、冬から春にかけてのカレンダーにはみんな思い入れがある、って言ってました」

「どんなふうに？」

「何度も何度も見るからです」

「ほかの季節よりも？」

「ええ。冬が長くて厳しいから、春が来るのがほんとうに楽しみなんですって。毎月一枚のカレンダーでも、二カ月で一枚のやつでも、何度もめくって三月や四月の写真を見て、早く春が来ないかなあ……って」

ああ、そうか、とお母さんはうなずいた。「被災地」をくってはいけない。「被災者」をまとめてはいけない。それでも、春の訪れを待つ思いの深さはみんな同じだったのだろう、と思う。

「だから、やっぱり四月までのページが大切だったんですよね。それを『なかった』ことにして破って捨てたのって、ほんと、よけいなおせっかいで、無神経で……」

先生の声は、またしょんぼりしてしまった。「わたしたちだって同じです、なにもわかってなかったんですから」とお母さんは先生を慰めながら、記憶をたどってみた。

佐藤さんに送ったカレンダーの一月と二月のページには、どんな写真がついていただろう。三月と四月はどうだっただろう。麻衣が選んだ、キルトの人形をモチーフにしたカレンダーだ。一月と二月は、たしか、ログハウスの出窓に人形がいた。窓の外が一面の雪景色だというのは覚えているが、出窓に置かれた人形以外の小物はあやふやだった。三月と四月は、お花畑と人形。その花は、菜の花だったか、三色スミレだったか、レンゲだったか……。どちらも二カ月間ずっと見ていたはずなのに、もう忘れてしまっている。

人形のカレンダーを送ったあとは、キッチンに掛けてあった水彩の風景画のカレンダーをリビングに移した。そちらも、とっさには細かい絵柄までは思いだせない。

それがなんともいえず悔しくて、寂しくて、佐藤さんに謝りたくなった。

「どんなひとなんですか、佐藤さんって」とお母さんは訊いた。

「七十いくつのおばあさん、って聞きました」

「問い合わせてきたのも、そのおばあさんなんですか？」

「ええ……一人ですから」

先生は少し言い淀《よど》んだ。お母さんも「一人って、それは……」と探るように訊いた。

「ダンナさんと、息子さんの一家を全員、津波で亡くしたそうです」

お母さんは目をつぶり、奥歯を嚙《か》みしめた。

八月五日は麻衣の十一歳の誕生日。

九月一日は結婚記念日。

同じ九月、二十五日はお母さんの三十九歳の誕生日。

十一月三日はこの家に引っ越してきた日。

そして十二月二十四日は、お父さんがお母さんにプロポーズした日。

「教えちゃったのか？　ぜんぶ……正直に言っちゃったのか？」

お父さんは驚いて目を見開いた。「そのおばあさん、家族がみんな死んじゃったんだろう？」とつづけた言葉は、咎《とが》めるような響きにもなった。

「でも、教えてほしいって言われたら嘘つけないでしょ。それに、やっぱり嘘なんかつきたくないわよ、ウチにとっても大事な記念日ばかりなんだから」

松下先生に仮設住宅の住所を訊いて、佐藤さんへの手紙を書いたのだ。

決心が揺らいでしまわないよう、電話を切るとすぐに買い置きしてあった金魚のイラスト付きの便箋《びんせん》を出して、文面を考える間もなくペンを走らせた。

型どおりの短い時候の挨拶のあと、〈お問い合わせの件、ほんとうに申し訳なく、そして感謝しつつ、うかがいました〉と本文を書き起こした。

マークを付けた日付の説明は、ごく簡単に、テストの答案をつくるような気分で書いた。そのあとにつづける言葉は、言い訳、謝罪、慰め、励まし、同情……頭の中に浮かんだものをすべて振り払ってから、書いた。

〈どれも、わが家にとって大切な日付です。思い出のたくさんある日付で、これからも決して忘れたくない日付です。気にしてくださってありがとうございました〉

書き終えたらすぐさまポストに投函《とうかん》した。

佐藤さんは傷つくだろうか。悲しむだろうか。腹を立てるだろうか。あきれはてるだろうか。ごめんなさい、でも、悪いけど、もう無理はしませんから、「あった」ことを「なかった」ことにはできませんから、と決めたのだ。

「そういうのは無理をしてるとは言わないんじゃないか？　むしろ、優しさとか思いやりとか気づかいだと思うぞ、俺は」

お父さんは最後まで不服そうだったが、寒い地方のひとたちが一月から四月までのカレンダーに寄せる思い入れの深さについては、「なるほどなあ」とうなずいて、ぽつりと言った。

「三月が始まって、カレンダーが新しいページになったとき、みんな、うれしかっただろうなあ」

そうだよね、とお母さんは黙ってうなずいた。

「やっと今年も春が来たんだ、って思った矢先だったんだなあ……」

お父さんはつぶやくように言って、もうそれっきり、佐藤さんに送った手紙のことは口に出さなかった。

＊

八月に入ると、お母さんは日ごとに元気をなくしてしまった。

手紙を投函してから十日以上たっても、佐藤さんからの返事はない。

最初から期待などしていなかったのに、実際に向こうからなにも言ってこないと、やっぱり手紙なんか書くんじゃなかった、という後悔がつのる。怒る気力も失《う》せるほど、佐藤さんを悲しませて、傷つけてしまったのだろうか。仮設住宅で家族の遺影とともに暮らすおばあさんの姿を思い浮かべると――もしかしたら遺影すらないのかもしれないと思うと、涙が出そうになって、いますぐ駆けつけて謝りたくなる。

八月五日の麻衣の誕生日も、朝から落ち込んでいた。取り寄せたケーキが冷凍の宅配便で届き、麻衣にリクエストされたローストビーフがオーブンの中で焼き上がっても、ちっとも気持ちが浮き立たない。

仕事を早じまいして帰ってきたお父さんにも、お母さんの元気のない理由はわかっていて、だからゲームソフトをプレゼントしてもらった麻衣の遊び相手をずっと引き受けて、お母さんを一人でキッチンに籠もらせてくれた。

そんな優しさに、かえって胸が締めつけられる。リビングで新しいゲームに大はしゃぎする麻衣の笑い声がキッチンまで届くたびに、居たたまれなくなってしまう。

夕食ができあがった。お父さんと麻衣をダイニングに呼ぶ前に、食卓に並んだごちそうをあらためて見つめた。幸せだなあ、と嚙みしめる。そう、幸せなの、いますごく、と指差し確認するみたいに、思う。

家族がみんな元気で、笑っていられるのは、間違いなく幸せで、幸せとは無条件にうれしいはずのもので、なのに、いま、その幸せの裏には悲しさがぴったりと貼りついていて、離れようとしない。

ため息をついて気を取り直し、二人を呼ぼうとしたら、玄関のチャイムが鳴った。

宅配便の配達だった。インターホンに応えて玄関に出た麻衣は、荷物を受け取ると、「えーっ、なに、これ、知らないひとだけど……」とリビングに戻ってきた。

「うん？　誰からだ？　ちょっと見せてみろよ」

のんびりと言ったお父さんは、次の瞬間、泡を食ってキッチンのお母さんを呼んだ。

「おい！　佐藤さん！　佐藤さんから荷物来てるぞ！」

荷物は、麻衣の両手に載るほどの小さな包みだった。

宛名は麻衣。包みの中には、ホタテの貝殻でつくったネックレスが入っていた。貝殻をきれいに磨いて色をつけ、穴を開けて紐《ひも》を通しただけの、ほんとうに素朴な、アクセサリーとも呼べないようなものだった。貝殻の内側には〈まいちゃん　おめでとう〉の手書きのメッセージと、今日の日付が記してある。

「これ……わたしのお誕生日のプレゼントってこと?」

呆然とするだけのお母さんに代わって、お父さんが「そうだよ」と、少しうわずった声で答えてくれた。

「佐藤さんって誰?」

「麻衣がカレンダーを送ってあげたひとだ」

「マジ?　なんでウチの住所知ってるわけ?」

説明はお父さんに任せた。

お母さんはまたキッチンに引っ込んで、ネックレスに同封してあった手紙を読んだ。

いかにもお年寄りらしい、細くて頼りなげに震えたボールペンの字だった。

〈先日はお手紙ありがとうございました。娘さんのお誕生日、せっかくのご縁ですので、私にもお祝いの真似事《まねごと》をさせてください。仮設住宅のみんなと一緒につくっている飾り

物です。まだまだ下手《へた》ですが、やることがなにかあるだけでも、心に張り合いが出ます〉

カレンダーには、週に三日、ネックレス作りのために仮設住宅の集会室に出かける予定が書いてあるらしい。

〈カレンダーに書いた予定を見るたびに、ニコニコしています〉

文字が震える。震えつづける。おばあさんの書いた文字だから、ではなく。

〈私の孫は中学二年生でしたが、可哀相《かわいそう》なことになってしまいました。麻衣ちゃんはどうか元気で大きくなってください。お祈りしています〉

宅配便の伝票には電話番号も書いてあったので、ケーキにロウソクを立てるのは後回しにして、佐藤さんにお礼の電話をかけた。

最初はお母さんが挨拶をした。「ありがとうございました」を繰り返し、「どうかお元気でいてください」とも言って、途中からはハナの詰まった声になった。

次は麻衣。佐藤さんがたくさんしゃべっているのだろう、麻衣は「うん」「ううん」「そうだよ」「うん、おもしろい」「友だちとプール」「はーい」「じゃあね」と返しただけで、受話器をお父さんに渡した。

「向こうのおばあちゃん、泣いてるみたいだったよ」

お父さんは、麻衣の頭を撫《な》でてから電話に出た。お母さんと同じようにお礼を繰り返し、「なにか私たちにお手伝いできることはありますか?」と訊いて、夏休み最後の日曜日の日付——二十八日を何度か口にして、受話器を置いた。

お母さんと麻衣を振り向いたお父さんは、照れくさそうに笑ってから、「サインペンあるかな、赤いの」とお母さんに言った。

「どうしたの?」

いいから、ほら、とうながされてペンを持ってくると、お父さんはそれを麻衣に手渡してつづけた。

「カレンダーの八月二十八日のところに花丸マークを付けてくれ」

お母さんに目を戻し、「行けば、俺たちができること、なにかあるよ」と言った。「なくても探そう」

「……麻衣も、いいの?」

「うん。会いたい、って言ってくれた」

お父さんは、カレンダーに向かう麻衣の背中に声をかける。

「ヒマワリみたいに大きいのを描いてくれ」

「はーい」

麻衣は、よいしょ、よいしょ、と日付の枠からはみ出してしまいそうなほどの花丸マークを描いた。

「記念日になるかな」

お父さんが言った。

「なるわよ」

お母さんは応え、なるといいね、ほんとうに、と心の中で付け加える。

七月と八月のカレンダーの絵柄は打ち上げ花火を眺める浴衣《ゆかた》姿の人形の子どもたちだと、佐藤さんはさっきお母さんに教えてくれた。

佐藤さんの暮らす町では、お盆を過ぎると風が急に涼しくなる、という。

秋が来ると、あっという間に、もう冬です。佐藤さんはそう言って、歳《とし》をとるとどんどんそれが早くなって、と笑った。

帰郷

去年は百八十人集まった広場に、今年はまだ三十人ほどしか来ていない。寂しい夏祭りになる。人数だけではない。はしゃぎまわる子どもがいない。華やいだ柄の浴衣《ゆかた》を着た若い連中もいない。集まっているのはほとんどが五十代か六十代だった。もっと歳《とし》をくったじいさまやばあさまの顔が見えないのは、夕方になっても気温が三十度近いなか、家から出かける元気がないのか、それ以前に、ふるさとの村に帰ってくる気力すら萎えてしまって、このお盆は遠い町の仮設住宅で迎えることになったのか。どこの家でも、じいさまやばあさまは「帰ってくる」という感覚など持たずに、長年この村で暮らしてきた。ふるさとは遠きにありて思うものではない。ここにある。ここにいる。自分とふるさとは足の裏でつながっている。跳ねたり駆けたりするにはいささか不向きな扁平《へんぺい》な足の裏で、ふるさとの土をいつもどっしりと踏みしめていた。若い連中がそれを「縛り付けられている」と受け止めてしまう気持ちもどこかで理解しながら、しかし自分たちは迷いなく、疑いも不服もなく、ここで生きてきた。ふるさとと足の裏が切り離されてしまうのは浄土からのお迎えのときだと信じていたし、まさかこんな形でふるさとを離れてしまう日が来るとは夢にも思っていなかった。

だが、ふるさとの土は穢《けが》されてしまった。水も飲めなくなった。里を吹きわたる風の中にも、目に見えずにおいもない毒は、静かに、確かに、溶けている。

車が広場に入ってきて、土埃《つちぼこり》が舞い上がった。ノブさんは思わず顔をしかめ、息を詰める。孫を連れて来るひとがいなくてよかった。あらためて思う。広場の土にも毒は溜《た》まっている。土埃を吸い込むと体によくない。いや、その毒は、透きとおった陽炎《かげろう》のようにも地面からゆらゆらとたちのぼってもいるらしい。広場に立っているだけで――というより、村の中のあらゆる場所に立っているだけで、毒に侵されてしまうのだ。

車から降りてきたのは、幼なじみのコウジさんだった。閑散とした広場を見回しながらノブさんのいるテントまで来て、「しょうがないさ、今年は」となだめるように言う。

「コウジは一人か」

「ああ……嫁さんは向こうで留守番だ。息子と孫が東京から来てるから」

た。

「どこだっけ、いま」

コウジさんは東を指差して仮設住宅のある町の名前を答え、「ノブは？」と訊《き》き返した。

ノブさんは西を指差した。町の名前を口にするとコウジさんは「遠いな」と言って、「まあウチも遠いけど」と苦笑した。

いま、この村に住んでいるひとは誰もいない。一カ月ほど前、梅雨《つゆ》明けの頃に、限りなく命令に近い避難指示が国から出された。

住民は仮設住宅の空きを探して、いろいろな町に移り住んだ。親戚を頼って引っ越しをしたひともいるし、都会に住む子どものもとに向かったひともいる。携帯電話やメールで連絡をとっているぶんには、村にいた頃とたいして変わらない。だが、あらためて考えてみると、みんな散り散りになってしまったのだ。

お盆の三日間だけ、墓参りのための帰宅が認められた。閉め切っていた留守宅に風を通したくても、窓を開けると空気中に舞っている毒が家の中に入ってくるので、なにもできない。庭の草むしりすら危険だと止められているし、飲料水も水道ではなくペットボトルの水にしたほうがいいらしい。

ノブさんやコウジさんのように、ほとんどのひとは帰宅にあたって子どもや孫を連れて来ていない。村を穢した毒は、おとな以上に子どもに深刻な影響を与えてしまう。妊婦のおなかにいる子どももそう。若い年齢の男女だと、生殖機能がダメージを受けてしまう恐れもあるのだという。

不思議な毒だった。

毒を浴びても、すぐに目に見える変化が現れるわけではない。だが、何年かのちに体がぼろぼろになる。汚染された土は、百年単位の年月をかけなければ元に戻らない。

この村の未来が、穢され、傷つけられた。

それがどれほどの深い傷なのか、今年五十歳になったノブさんには、おそらくすべてを見届けることはできないだろう。

焼肉の支度を終えた。あとは酒が届くのを待つだけだった。

やれやれ、と煙草《たばこ》を一服していたら、コウジさんが「なんだ、禁煙やめたのか」と声をかけてきた。

「ああ、やめた」

「一年持たなかったな」

「無理してやめてもしょうがないだろ」

ばからしくなったのだ。つらい思いをして禁煙をつづけても、煙草の煙よりもはるかに強い毒が空気中に漂っているのだから、まったくもってばからしい話だった。

口に出して説明したわけではなかったが、コウジさんも、わかるわかる、とうなずいて、「どうなってるんだろうな、ここ」と自分の腹をさすった。「もう、けっこう入ってるんだろうな」

毒は、春に起きた大きな事故によってまき散らされた。事故から避難までの間、住民は毒の存在をいっさい知らされず、ふだんどおりの生活をつづけてきた。いったいどれほどの毒を体内に取り込んでしまったのか、国の言う「ただちに健康に被害があるわけではない」の「ただちに」とはいつまでのことを指しているのか、「健康に被害」とは具体的にどういうことなのか、なにもわからないままだった。

「それにしても出足が悪いな」

コウジさんは集まったひとたちを目でざっと数えて「三十二、三ってところか」とため息をついた。すでに集合時刻は過ぎているが、これ以上待っても参加者は増えないだろう。

「まあ、でも、よく集まったほうだと思うぞ。みんなばらばらで、連絡を回すだけでも大変なんだから、ノブはよくやったよ。区長の責任果たしたじゃないか」

「まあな……」

せめて去年の半分ぐらいは来てくれるんじゃないかと期待する一方で、もっと少ないんじゃないかと心配もしていた。酒やビールの数もぎりぎりまで決めかねたし、若い連中がいないのなら、肉はそうとう余ってしまいそうだった。

お盆休みの一日に公民館前の広場で夏祭りをするのが、この地区の三十年来の習わしだった。鉄板で肉を焼き、カラオケをして、車座《くるまざ》になって酒を飲む。小さな子どもたちのためにビニールプールも設《しつら》え、日が暮れると花火をして、もっと暗くなるとお囃子《はやし》をテープで流して盆踊りをする。

みんな楽しみにしていた。都会に出て行った子どもや孫にとってはちょっとした同窓会気分で、祭りに合わせて帰省の日程を決めるのが常だった。地元に残ったひとたちは、毎度変わりばえのしない顔ぶれで酒を酌み交わすことになるのだが、二百人近い人数が集まって外で酒を飲むというのは、やはりそれだけで気分がいいものなのだ。

この地区は、村の中でも特に住民同士のつながりが強い。もともと開拓団として入植したということもあって、三代、四代にわたって親戚同然の付き合いをしているひとたちばかりだ。山深い地区で、冬の寒さも厳しい。そのぶんみんなで助け合い、身を寄せ合って、とりたてて豊かではなくとも満ち足りた暮らしをつづけてきた。

だが、いま、住民はばらばらになってしまった。二年後をめどに帰れるようにしたい、と国や県は言うものの、そのための具体的な方策はまだなにも示されていない。毒に穢された場所は、表土を入れ替えるしかないのだという。学校のグラウンドや公園はそれでなんとかなるだろう。家の庭も、大変ではあっても不可能なことではないのかもしれない。だが、田んぼや畑は？　牧場は？　山は？

考えをめぐらせていくと、どんどん暗澹《あんたん》としてしまう。最後にはいつも、同じつぶやきが漏れそうになる。それを喉《のど》の奥にとどめたまま、ノブさんは夏祭りの準備を進めてきた。コウジさんや他の住民の喉の奥にも、同じ言葉がひっかかっているのだろう。おしゃべりが途切れたあとでふと遠くを見るときの表情は、不思議とみんなよく似ている。

広場にまた一台、車が入ってきた。酒の買い出しに行っていたエノさんの軽トラックだった。乱暴に車を停《と》め、乱暴にドアを開け閉めして降りてきたエノさんは、顔を真っ赤にして怒っていた。

「どうした」

「どうもこうもない。ふざけやがって」

避難指示の出ていない隣町の酒屋まで出かけた。電気工事店を営むエノさんの車のボディーには、店の名前と住所が書いてある。酒屋の店主はそれを見とがめて、ウチの店の前に停めないでくれ、と言った。

おまえの村は毒に穢されているから、車にも毒がついている。それをまき散らされては迷惑なのだ。こっちも客商売なので、あの村の車が停まっていた、と悪い評判が立ってしまうと困るのだ……。

似たようなことを言われたひとは何人もいる。そこまで露骨ではなくても、周囲から嫌な目で見られているのを、ノブさん自身、仮設住宅に引っ越してから一カ月ほどの間に何度も感じてきたのだった。

＊

ビールが日本酒に代わった頃になっても、祭りはほとんど盛り上がらなかった。最初のうちは近況報告でそれなりににぎやかだったが、その後は話が途切れがちになり、声も沈んでしまった。いつもの年ならみんな我先にとマイクを握るカラオケも、今日はまだ誰も歌っていない。肉も、酒も、覚悟していたよりさらにたくさん余ってしまいそうだった。

これから、どうする——。

ぼそぼそと話す。

村に住めなければ、畑仕事や牧場の仕事もできない。酪農を営んでいたノブさんも三十頭以上いた牛をすべて処分させられた。国や企業から示された損害の補償は雀の涙ほどの金額で、しかもまだ支払いの期日さえ決まっていない。

子どものいる家では学校のこともある。さっきの酒屋の話ではないが、この村の出身だということが転校先で知られるといじめに遭ってしまうのではないか、と心配しているひともいる。

これから、どうする――。

仮設住宅は、あくまでも仮り住まいにすぎない。親戚や子どもの家に身を寄せているひとも、いつまでも居候を決め込むわけにはいかない。いまは無職のノブさんも、次の仕事を考えなければならない時期に来ている。

テレビや新聞を見ていると、二年後をめどに帰れるなど、とてもではないが信じるわけにはいかない。それどころか、避難指示の出ている地域がさらに拡大されそうだという報道もある。

喉の奥にひっかかった言葉に、酒がひりひりとしみる。

考えなければならない。決めなければならない。夢は持ちたい。希望は捨てたくない。

けれど、受け容《い》れなければならない現実というものは、確かに、どうしようもなく、ある。

広場の雰囲気がしだいに変わってきた。沈んだ様子に加えて、みんなの会話の中に、ささくれのようなものが見え隠れするようになった。低い声に怒気が交じる。酒を飲むピッチが上がる。

不意に怒号が聞こえた。酒癖のあまりよくないノリさんがふらつく足で立ち上がり、モロちゃんをにらみつけていた。今日の祭りに集まった中では最も若い三十代半ばのモロちゃんは、自分の父親と変わらない歳のノリさんに、「落ち着いてくださいよ」と諭すように言う。だが、ノリさんはそれでさらに興奮してしまい、酒の入ったプラスチックのコップをモロちゃんに投げつけてしまった。

何人かが割って入って、ノリさんを止めた。頭から酒をかぶったモロちゃんは、ノリさんだけでなく、この場にいる全員を見限ってしまったような顔で帰っていった。

これからのことを話していたのだという。三世代九人家族の仲の良さが自慢のノリさんは、避難指示が解除になったらすぐに家族そろって村に戻るつもりだった。一方、まだ息子が小学校に入ったばかりのモロちゃんは、なるべく早いうちに仮設住宅を出て、別の町に家を買って移り住むことにしていた。ノリさんは「裏切るのか」と責めた。モロちゃんは逆に「孫が可愛《かわい》いんだったら、連れて帰るのはおかしいでしょう」と言い返し、それで喧嘩《けんか》になってしまった。

いきさつは単純だったが、聞いたあとはみんな黙り込んでしまった。

これから、どうする――。

十人いれば、十通りの答えがある。十の答えには、それぞれの無念や悔しさがある。だから、「いまの話、あんたはどう思う」「あんたならどうする」とまわりに訊くひとは誰もいない。

代わりに、みんな同じように居心地悪そうな顔になっていた。喉の奥にひっかかったあの言葉が、またひりひりと痛みはじめたのかもしれない。

ノリさんとモロちゃんの揉《も》め事《ごと》のあとは、場はいっそう重くなってしまった。

それも、ただ元気がないというだけではなく、どのグループにも、すさんだ空気が漂っている。実際、ちょっとした言葉尻をとらえて相手にくってかかったり、舌打ち交じりの話が増えたり、ふだんは酒をほとんど飲まないひとが手酌でコップに何杯も呷《あお》ったりしている。その雰囲気を嫌って、早々に帰ってしまうひとも増えてきた。

例年どおり花火は買ってあったが、とてもそれを楽しめるような様子ではない。日が暮れ落ちたあとの盆踊りまで、いったい何人が残ってくれるのだろう。

やはり、やめるべきだったのだろうか。ノブさんは苦い思いで酒を啜《すす》り、焦げて炭のようになってしまった肉を鉄板から片づける。

夏祭りを開くにあたっては、いろいろなひとに意見を訊いた。今年は中止したほうがいいと答えたひとは少なくなかった。こんなときになにを言い出すんだ、とノブさんを叱《しか》ったじいさまもいた。

それでも、住民がばらばらになったときだからこそ祭りを開くべきだ、と最後は自分一人で決めた。そのときに捨て去ったはずの迷いやためらいが、いまになって背中に重くのしかかってきた。

またどこかのグループが騒がしくなった。いさかいの声がする。まわりのひとがとりなしてその場は収まったが、すぐに別のグループから怒声とおかみさんたちの悲鳴が聞こえてくる。

帰り支度を始めるひとたちが、目に見えて増えてきた。中座《ちゅうざ》するひとは皆、ノブさんのもとに来て、早じまいを詫《わ》びたり幹事の労をねぎらったりした。だが、「楽しかった」とは誰も言ってくれなかった。

＊

家に帰り着くと、「ただいま……」とひとりごちた。返事はない。奥さんは東京の大学に通う一人娘と温泉に出かけてお盆を過ごしている。旅館の料理がごちそうすぎて食べきれなかった、とゆうべ電話で言っていた。春の事故からこっち、奥さんはずっと気を張り詰めていた。噂話《うわさ》に敏感になり、まわりの目を臆病なほど気にするようにもなった。少しぐらいは休んでもいいし、贅沢《ぜいたく》してもいい。なんの罪もなく、なにかをしくじったわけでもなく、ただ工場の発した毒が流れ込みやすく溜まりやすい土地だったというだけで、ふるさとを追われたのだ。それくらいの贅沢も許されないというのなら、こんな国は、政府も国会も企業も国民も、消えてなくなってしまえばいい。かなり真剣に、ノブさんは思っている。

家の中はがらんとしているわけではない。仮設住宅には必要最小限のものしか持って行かなかった。いつでもすぐに、事故の起きたあの日までの生活に戻れる。けれどもう、それはどうしようもなく遠い日々になってしまったのだということも、そろそろ受け容れるしかないのだろう。

仮設住宅に持って行った家財道具の中には仏壇もあった。だが、お盆にご先祖さまの霊を迎えるわが家がプレハブの仮設住宅ではあんまりだから、と奥さんと話して、お盆の間は位牌《いはい》だけ持ち帰った。娘に言わせると、そういうことにこだわってしまうのが、年寄りになりつつある証拠らしい。

居間の座卓に置いた位牌は、ぜんぶで八つあった。いちばん新しくて大きなものはノブさんの両親のもの。父は五年前、母は二年前に亡くなった。二人とも七十代の前半だったから、いまの時代では早死にということになるのだろう。祖父母もそれほど長生きはしなかった。字が読み取れないほど古い位牌の中には、幼くして亡くなった子どものものもあるらしいが、くわしいことは祖父母や両親に訊けずじまいだった。それをいまになって悔やんでいる。そういうのも、年寄りになりつつある証《あかし》なのだろうか。

夏祭りから持ち帰った日本酒を、冷やでちびちび啜った。広場ではさほど飲んだつもりはなかったが、帰宅すると意外と酔っていることに気づいた。

結局、花火には手をつけなかった。盆踊りもしなかった。焼肉の炭火も消えないうちに解散になった。祭りが盛り上がらなかったというだけではなく、みんな、広場に長くとどまって、地面や空気に溜まった毒をたくさん浴びてしまうのが嫌だったのだろう。

区長の任期は二年なので、ノブさんは来年の祭りも仕切らなければならない。だが、来年の話は誰からも出なかった。中止にする方向だとノブさんが言えば、おそらく反対するひとはいなかっただろう。毒におびえながらご近所同士の付き合いでしかたなく顔を出したひとは、ほっとして、喜んでくれたかもしれない。言えばよかっただろうか。言うべきだっただろうか。言わなければならないことだったのだろうか。未来をきっぱりと断ち切ってしまったほうが、村のひとたちには幸せなのかもしれない。それでも言えなかったのは、なぜだろう。

酒を飲むピッチが上がる。酔いが回る。

ああそうだ、今夜は十六日だ、送り火を焚《た》かないと、と頭では考えても、横になった体はなかなか動かない。毒を浴びたときに出る症状の中には、全身の倦怠感《けんたいかん》もあるらしい。村に溜まった毒の量はごくわずかなもので、そんな症状が出るほどではないということなのだが、じゃあなぜ全員が避難しなくてはならないのか、と住民説明会で誰かが訊くと、国や県の担当者は難しい横文字や細かい数字を早口に並べ立てて、納得のいく言葉は返ってこなかった。

なにを信じればいい。誰を信じればいい。未来のどこに希望を託すことができて、未来のどこをあきらめなければならないのか、まだ誰からもそれを教えてもらっていない。

酒を啜りながら、ずっと昔のことをぼんやりと思いだした。

中学一年生だったか二年生だったか、そのあたりの頃。三十六、七年前の話になる。国語の教科書に、三好達治《みよしたつじ》の詩が載っていた。『雪』という題名の、ほんの二行の短い作品だった。

〈太郎を眠らせ、太郎の屋根に雪ふりつむ。

次郎を眠らせ、次郎の屋根に雪ふりつむ。〉

この詩に描かれた情景を想像しなさい、という授業だった。

みんなの答えで一番多かったのは「雪の降る夜、二人の子どもにお母さんが添い寝をしている」という情景で、先生もそれを正解にしていた。

だが、ノブさんは一人だけ別の考え方をしてしまった。

太郎も次郎も、まだ幼くして亡くなった。「眠らせ」とあるから、もしかしたら、生活の苦しさから間引《まび》かれてしまったのかもしれない。そんな二人のなきがらかお骨《こつ》を埋めた土饅頭《どまんじゆう》が「屋根」になる。二つ並んだ土饅頭に、雪がしんしんと降り積もっていく……という情景を思い描いたのだ。

先生がそれにどう応えたかは忘れてしまったが、正解にはならなかった。友だちにも気味悪がられた。

ただ、この村にはかつて、そういう厳しく苦しい暮らしをつづけていたひとたちが、確かにいたのだ。子どもを八人産んで六人亡くす、五人産んで一人だけ育つ、三人産んで三人とも亡くしても、また四人目を産めばいい、そんな時代が確かにあって、それを懸命に生き抜いてきた先に、いまの暮らしがある。

祖父母から昔の苦労話はよく聞かされていた。七人きょうだいだった祖父はそのうち四人を子どもの頃に亡くしていたし、隣の村から嫁いできた祖母の若い頃の手は、しもやけやあかぎれでグローブのように固かったらしい。

ノブさんがまだ小学生だった頃、晩酌が少し度を超してしまった父が調子に乗って、昔おこなわれていた間引きの方法をしゃべったこともある。濡《ぬ》らしたちり紙で鼻と口を覆ってしまえば、生まれたばかりの赤ん坊は声もなく息絶えてしまう。出産する以前に、妊婦が冷たい川に入って堕胎することもあった。最初はいかにも酔った勢いの冗談交じりに話していた父だったが、しだいに真顔《まがお》になり、最後は口調まであらためて「だから、いまのおまえたちは幸せ者なんだ。産んでもらったこと、育ててもらったことに感謝して、自分の命を大切にしなくちゃいけないんだぞ」と説教をはじめたのだった。

そんな話を子どもの頃から聞いていたこともあって、三好達治の『雪』を子どもの死のイメージで解釈してしまったのだ。授業では正解にならなかったものの、ノブさんはいまでも、その解釈が間違っているとは思えずにいる。

実際、祖父母や父から昔話を聞くだけではなく、この村には——。

体を起こした。

記憶の底から不意に浮かび上がったものがある。

そうか、そうだ、そうなんだ、と勢い込んで立ち上がり、携帯電話を手に取った。胸がどきどきする。

電話に出たコウジさんに、前置き抜きで「絵馬堂《えまどう》のこと覚えてるか」と訊いた。

「絵馬堂って……」

ほら、あそこの、と寺の名前を告げた。村でいちばん歴史の古い寺だった。ノブさんの家の菩提寺《ぼだいじ》でもある。

本堂の裏に墓地があり、その脇に、小さなお堂がある。絵馬堂という呼び方が正式なものなのかどうかは知らないが、その名前どおり絵馬がたくさん奉納してある。

コウジさんもすぐに「ああ、あったなあ」と思いだしてくれた。

「いまから行ってみないか」

「はあ？」

「見てみたいんだ、絵馬や写真や人形を」

「いや、おい、ノブ、それって……」

「本気だ」

「いい歳をして肝試しかよ」

「そういうんじゃなくて、見てみたいんだ。コウジが嫌だったら俺一人でもいい。でも、俺、酔っぱらってて、車を運転できないから」

コウジさんはアルコールが体質に合わず、酒をいっさい飲まない。こういうときに誘うにはうってつけなのだ。

「なんだよ、ひとを便利屋扱いしやがって」

最初はムスッとしていたコウジさんだったが、わが家に一人きりでいることにも退屈していたのか、もうちょっと深いところでノブさんの言いたいことを察してくれたのか、

「まあいいや、付き合ってやるよ」と言った。

「悪いな」

「いや、よく考えたら、あそこのお堂に行くことも、もう二度とないかもしれないしな」

「うん……そうなんだよ」

「あいつらは避難しなくていいのかな」

コウジさんは冗談めかして言った。

だが、声とは裏腹に、顔は笑っていないだろう、という気がした。ノブさんも「そうだな」と笑い声で返したが、頰《ほお》はほとんどゆるんでいなかった。

絵馬堂に納められた絵馬は、神社でおなじみの五角形のものとは違う。文字どおりの「絵」——木の板に直接描いたり、紙に描いて額《がく》に入れたりして、壁に掛けられている。その「絵」に描かれた願いごとも、ふつうのものとは違う。決して叶《かな》えられない願いごとだった。

冥婚《めいこん》という。幼くして亡くしたり、水子《みずこ》として葬らざるをえなかったりしたわが子を不憫《ふびん》に思い、せめてあの世で幸せな結婚ができますように、という願いを込めて、結婚式の絵を奉納するのだ。花嫁《はなよめ》人形もある。花婿《はなむこ》人形もある。お嫁さんやお婿さんだけでなく友だちも欲しいだろう、と小さな童《わらべ》人形もたくさん奉納されている。中には、亡くなった男の子の顔写真に成人の花婿の胴体をつなぎ合わせて、隣に花嫁の写真を寄り添わせた合成写真まである。それが、コウジさんの言う「あいつら」だった。

お堂の中にあるのは、どれも、現実にはありえない未来だった。断ち切られたはずの未来が、無気味に、ものがなしく、ここにある。

ノブさんは子どもの頃に、何度かお堂に入った。法事のあとに祖母に連れて行かれることが多かった。祖母はお堂の中で手を合わせていた。一枚の絵馬に向かってだったのか、お堂にあるすべての絵馬に対してだったのかは、わからない。父は三人兄妹の長男で、叔母二人はいまも健在だが、もしかしたら、お堂の中には祖母が奉納した絵馬もあったのかもしれない。

＊

今年は八月に入ってもホタルが多い。お寺に向かう車の中でコウジさんは言った。裏山を小さなせせらぎが流れているコウジさんの家の庭には、今夜も無数のホタルが群れ飛んでいるのだという。

「今年は田んぼや畑でなにもつくれなかったから、農薬をまいてないだろ。それがよかったんじゃないのかな」

「うん……」

「その代わり、田んぼに水を張ってないから、カエルがあまり鳴いてない」

言われてみるとそうだなあ、とノブさんは助手席でうなずいた。

「まあ、でも、お盆にこれだけホタルが飛んでるってことは、ご先祖さまが今年はたくさん帰ってきたってことなのかもな。なにしろ今年はふるさとの一大事なんだし……」

そこまでは冗談交じりに言ったコウジさんだったが、「来年からは、お盆になってもどこに帰ればいいかわからなくなるもんな」とつづけた声は、すうっと沈んだ。

ノブさんはまた黙ってうなずき、助手席の窓ガラスにうっすらと映り込んだ自分の顔を見つめて、喉の奥にひっかかっていた言葉を、奥さん以外のひとの前で初めて口にした。

「もう、ここには帰れないかもなあ……」

コウジさんの返事はなかった。

代わりに、車のスピードが少し上がった。

お寺の住職さんは奥さんと二人で村に帰ってきていた。祖父母も両親も、もう八十歳近いこの住職さんにお経をあげてもらって弔った。

ノブさんが絵馬堂に入りたいと頼み込むと、「いまから？　こんな時間に？」と訝《いぶか》しみながらも、ノブさんの気持ちもなんとなくわかったのか、意外とあっさり鍵を貸してくれた。

「それより、ちょうどよかった」

鍵と一緒に手紙も差し出した。

「なんですか、これ」

「来週中に檀家《だんか》さんに送ろうと思ってたんだけどな、ついでだから持って帰ってくれ」

住職さん夫婦は、同じ宗派のお寺にしばらく世話になる。その間の法事をどうするか、万が一のときにはどうするか、さらには長期的に考えて、お墓をどうするか、その相談の手紙だった。

「まあ、それぞれの家の考え方があるわけだから、檀家総代さんに任せるっていうのも難しいだろう」

「ええ……」

「これからもいろんなことが出てくるぞ。ほんとに頭が痛いよ」

この村から奪われてしまったのは、未来だけではない。過去もまた、根こそぎ奪い去られてしまう。

「お寺はどうするんですか？」

コウジさんが横から訊くと、住職さんは首を横に振って、「まだ決めてないんだ……」と申し訳なさそうに言った。

コウジさんにもノブさんにも、もちろん責めるつもりなどなかった。

「みんなそうですよ」とコウジさんが言って、「大変ですよね」とノブさんがつづけると、住職さんはしょんぼりとした顔で笑い返して、絵馬堂に向かう二人を合掌で見送ってくれた。


古い蛍光灯は何度もまばたきしてから灯《とも》った。お堂の中には黴臭《かびくさ》い湿った空気が澱《よど》んでいたが、壁を埋め尽くした絵馬は、子どもの頃の記憶よりも色づかいが鮮やかで、毒々しさすら感じる。

「南方系なのかな。タイやカンボジアのお寺や仏像ってけっこう派手だろ。なんか、それに似てるよな」

コウジさんの言葉にうなずきながら、ノブさんは絵馬を一枚ずつ眺めていった。絵馬には奉納された年や奉納者の住所氏名も書いてある。大半がこの村や近隣の町村のひとで、奉納された時代はほとんどが昭和三十年代から四十年代にかけてだった。最近は人形のほうが主流になったのか、花嫁人形はどれも新しく、平成二十年代——つい最近のものまであった。

人形のケースには、亡くなったひとの写真も一緒に入っている。お菓子やオモチャが入っているのも多い。故人がある程度大きくなってから亡くなったのであれば、実際にそのひとが好きだったものを入れればいい。だが、まだ赤ん坊で世を去ってしまった場合、親はどんな思いでお菓子やオモチャを選ぶのだろう。なかには、赤ん坊の写真の横に煙草が置いてあるものもある。煙草を吸う歳まで成長したわが子の姿を、親はどんなふうに、なにをよすがに、思い浮かべたのだろう。

ノブさんと背中合わせになって絵馬を眺めていたコウジさんが、そのままの姿勢で声をかけてきた。

「この子たちも、お盆には帰ってきてるんだよな」

「うん……」

「いままで、この村で亡くなったひとの数ってどれくらいになるんだろうな」

さあなあ、と苦笑して受け流した。

「人口は？　いま、何人だ？」

これなら知っている。「六千人ちょっとだ」とすぐに答えた。

「じゃあ、その十倍ぐらいは死んでるか」

なんの根拠もない計算でも、「六万人ってことだな」と言われると、なるほど、それくらいになるのかもしれない、と妙に納得してしまった。

「なあ、人口が六千人しかいない村だから、俺たちのこと全員追い出せるんだろうな、国も県も。六千人程度だったら、ご近所の仮設住宅に押し込めばなんとかなる、って」

　それはそうだとノブさんも思う。小さな村だから全村民を避難させることもできるのだろう。大きな町だとそういうわけにはいかない。人口が三十万人近い県庁所在地も、この村から決して遠くはない。専門家の中には、いま発表されている数値よりはるかに高い濃度の毒が達しているはずだ、と訴えるひともいる。政府もそれはわかっていて、しかし影響の大きさやパニックの危険を考えて避難指示を出せずにいるのだ、という噂も流れている。もしもその噂が事実なら、この村は小さなぶん、いちはやく毒から逃れられたことになるのだが、それを幸運だと喜ぶ気などは、もちろん、ない。

「でもな、ここだって、目に見えないだけで、ほんとうは生きてるのと死んでるのと合わせて六万人以上ってことだよな。六万人もいれば、立派な難民だぞ。そこのところ、国も県もわかってるのかな」

　難民という言い方が大げさには聞こえなかった。壁一面の絵や写真や、棚にぎっしりと並んだ人形が、ひときわなまなましく見えてきた。

「みんな、来年からはどこに帰ってくるんだろうなあ……」

　コウジさんはつぶやくように言うと、「先に行ってるぞ」とお堂から出て行った。

残されたノブさんは、あらためて絵馬に手を合わせ、目をつぶって、頭《こうべ》を垂れた。

未来を生きることができなかった子どもたちよりも、たとえこんないびつな形でもわが子に未来を生きさせようと願った親たちのために、時間をかけて祈った。

外に出ると、本堂に帰っているかと思っていたコウジさんは、まだ途中の道ばたにたたずんでいた。「どうした?」と歩み寄って訊くと、黙って墓地のほうを指差す。

ホタルがいくつもいた。毒が音もなく降りしきる夜の闇を、ほのかに小さく照らしていた。この夏を越すことのできないホタルは、真夏の短い夜と短い命とを惜しむように、すうっと飛んでは墓石に止まって休み、また飛んでは休みしながら、いつまでも闇の中に舞っていた。

五百羅漢

ヤマモト・タカオと言われても、最初はきょとんとするだけだった。

ヤマモトは「山本」で、タカオは「孝夫」だという。

「先生、思いだしましたか？」

「うん、いや、急に言われても……」

電話をかけてきた竹内《たけうち》くんのことは、よく覚えている。「昭和」から「平成」に替わる頃にクラス担任だった生徒だ。竹内くんはクラスのリーダー格で、勉強もよくできて、いまも律儀に年賀状を欠かさず送ってくれる。

だが、その竹内くんが「けっこうおとなしかったんですけど」と前置きする山本くんのほうは、どんな生徒だったのか、まったく浮かんでこない。

中学教師になって二十七年、クラスで担任をした生徒に、国語の授業の教え子、部活動の部員を合わせれば、数十人、もしかしたら百人近くの「山本くん」と巡り合ってきたことになる。そして、そのほとんどの顔を、いまはもう忘れてしまった。

「きみたちのクラスって何組だったっけ」

「三組ですよ。一年三組」

「一九八八年だったかな。三学期の始まる直前に『昭和』が終わったよな？」

「そうそう、そうです」

私は今年五十歳になる。当時はまだ教壇に立って四年目だった。翌年には別の学校に異動してしまったので、竹内くんや山本くんとは一年間だけの付き合いだった。

「ということは、きみたちはいま——」

「三十七歳です」

なるほど。なんだか本をいっぺんに何ページもめくってしまったみたいだ。

「そうか、もうそんな歳《とし》になるのか」

「でも、まだ若いですよ」

「うん……」

「若すぎますよ、ほんとに」

竹内くんは悔しそうに言う。

そうだよなあ、と私も憮然《ぶぜん》とした面持ちになる。

「山本くんはいつから向こうにいたんだ？」

「大学を卒業するまでは東京だったんですけど、もともと両親の田舎《いなか》がそっちのほうで、彼もいずれはUターンしなきゃいけないからってことで、地元の水産会社に就職して、そのまま向こうで結婚して、子どももできて……女の子なんですけど、京香《きょうか》ちゃんっていって、この四月に小学校に上がったばかりだって言ってました」

なにも知らなかった。山本くんの卒業後の人生はもとより、「向こう」「そっち」「地元」――一年と少し前に未曾有《みぞう》の厄災が襲った北の地方に、自分の教え子が暮らしていたとは、夢にも思っていなかった。

去年の春は、ずっとテレビにかじりついていた。津波に町が呑《の》み込まれてしまう映像を数えきれないほど観《み》て、大きな被害を受けた町の名前もたくさん覚えた。

だが、どんなに胸を痛め、なにか自分にできることはないかと義援金を振り込み、支援物資を送っても、「向こう」はあまりにも遠かった。そこに身内はいない。友だちもいない。知り合いの知り合いはいても、じかに親しく付き合ってきたひとは誰もいない、と思い込んでいた。

そのまま一年が過ぎた。厄災から二度目の梅雨《つゆ》が間《ま》もなく明ける。厄災のことは忘れてはいない。あたりまえだ。けれど、一年ぶん薄れてしまったのは確かだった。自分でも認める。しかたないじゃないか、と誰でもない誰かに言い返したくもなる。

そんなときに山本くんの話を聞かされたのだ。不意打ちだった。道を歩いていて、後ろから駆け寄ってきたひとに「落とし物ですよ」と声をかけられたような――「あなた、大切なものを落としたことに気づかないまま、ずーっと歩いてたんですよ」とあきれられてしまったような。

山本くんが住んでいたのは、地域で一番大きな漁港のある町だった。津波が漁協のビルに迫る映像をテレビで何度も観た。ビルの屋上からそれを撮影していた漁協の職員がつぶやく「嘘《うそ》だろ、嘘だろ……」という声も、よく覚えている。なのに、山本くんの顔が、まだ思いだせない。

山本くんは仕事中に津波に襲われた。すぐに避難をしていれば間に合ったのに、工場にまだ従業員が残っていないか確かめていて、逃げ遅れた。遺体が発見されて身元が判明するまで、三カ月近くかかったらしい。

奥さんと京香ちゃんは無事だった。年老いた両親も間一髪で避難できた。だが、自宅も実家も津波で跡形もなくさらわれて、家財道具のいっさいが失われてしまった。山本くんの遺品になるものも、すべて。

遺影のない葬式をあげた。いまも、仮設住宅に置いた小さな仏壇に山本くんの写真はない。

今年の春に一周忌の法要を終えたのを機に、奥さんとお父さんは手分けして、山本くんの写真を集めることを決めた。住所録も古い年賀状も流されてしまったので、苦労して伝手《つて》をたどり、かぼそい糸をたぐり寄せて、昔の友だちに写真を持っていないか問い合わせている。その糸の一本が、中学の同期会の幹事をつとめる竹内くんを通じて、私にも届いたのだ。

「卒業アルバムは僕が持ってますし、二年生や三年生のときに同じクラスだった友だちにも連絡を取って、手持ちの写真を焼き増ししてもらったので、なんとか十枚以上集まりそうなんです」

「そうか……いろいろやってくれて、ありがとう」

素直に感謝の言葉が出た。「いやあ、だって、同級生としては、せめてそれくらいはやってあげたいじゃないですか」と照れくさそうに笑う竹内くんは、頼もしい一人前のおとなになっていた。それが教師としてうれしい。

山本くんもきっと、ふるさとの町でがんばっていたのだろう。幸せな家庭を築き、仕事に張り切って、もしも生前に同窓会が開かれていたら、すっかり貫禄《かんろく》がついていて、みんなを驚かせていたかもしれない。

「それで」竹内くんは口調をあらためた。「彼の写真、先生のところにはなにかありませんか？　クラスの集合写真は僕も持ってるんですが、スナップ写真とか、もしお持ちでしたら貸していただきたいんです。スキャンしてすぐにお返ししますから」

うーん、と私は低くうなった。

「二十四年前だよなあ。デジカメなんてなかった頃だから、どうだろうな」

「でも、文化祭のとき、先生、写真撮ってくれたでしょ。駅の売店で売ってるような使い切りカメラで」

「そうだったかなあ」

記憶はあやふやだったが、竹内くんは「僕、両手でVサインしたの覚えてますよ」と、きっぱりと言った。

「じゃあ、撮ったのか」

「撮ったんですよ、ほんとに」

声に訴えるような響きが交じった。私はあわてて「いや、うん、そうだよな」と返す。

「ウチにはその写真がないから、先生、プリントを学校に持って来てくれなかったんじゃないですか？」

「うん……」

「もし、いまでもプリントかネガが先生のウチにあるんだったら、意外と山本くんが写ってるのもあるんじゃないかな、って思うんですけど」

「……とにかく探してみるよ」

押し入れには昔のがらくたを詰めた収納ボックスがいくつかある。プリントしたままアルバムに貼らなかった古い写真も入っているはずだが、二十四年前の文化祭の写真がその中にあるのかどうか、自信はまるでない。

それが伝わったのだろう、竹内くんも少し黙ってしまった。

「では……お忙しいと思いますけど、よろしくお願いします」

言葉づかいは丁寧なままでも、電話の最後は、あきらめ半分の口調になった。

私はため息をついて受話器を置いた。

*

山本くんの顔は、入学式のときに撮ったクラスの集合写真で確かめた。眉毛《まゆげ》が太いこと以外にはとりたてて特徴のない顔立ちだった。

クラスの中ではどういう存在だっただろう。確かに見た目はおとなしそうな生徒だが、いじめに遭っていたようなことはないだろう。もしもそういうことがあれば、もう少しは彼のことを覚えているはずだから。

収納ボックスには、山本くんにまつわるものはなにも入っていなかった。

床に出したボックスの中身を戻していると、知らず知らずのうちに奥歯を嚙《か》みしめていた。

竹内くんがあれほどはっきり言い切ったのだから、写真を撮ったのは確かだろう。プリントしたものの学校に持って行くのを忘れて、そのままなくしてしまったのか。それとも、プリントをすることさえなく、処分してしまったのだろうか。どちらにしても大失敗だった。

もしも、なくした写真の中に、山本くんが写っているものがあったら――。

奥歯を嚙む力がいっそう増して、ギリギリと音がする。

山本くんに申し訳なくてしかたない。写真を必死に集めている奥さんやご両親にも、謝りたい。

そして誰より、ものごころつくかつかないかのうちに父親を亡くしてしまった京香ちゃんのことを思うと、いたたまれなさに、うめき声が漏れそうにもなる。

「どう？　なにか見つかった？」

部屋に入ってきた妻に訊《き》かれ、「あるわけないよ」と不機嫌な声で答えた。「二十四年前のものなんて、いちいち取っておくほうがおかしいだろ」

「そんなに怒らなくたっていいじゃない」

「べつに怒ってない」

「写真、ウチになくても、他にたくさんあるんでしょ？」

「ああ……たくさんかどうかは知らないけど」

「電話をかけてきた子も、だめで元々のつもりで訊いてきたのよね？」

「そうだよ」

「じゃあ、しょうがないじゃない。役に立てなかったのは残念だけど、これぱっかりは、どうしようもないんだし」

私は「もういいよ、ちょっと黙っててくれ」と、声も一緒にボックスに押し込めて、蓋を閉じた。妻の視線を背中に感じる。八つ当たりまがいの態度に腹を立てて早々に立ち去るかと思っていたが、妻は無言で、じっと私を見つめていた。

振り向かずに「悪かった」と言うと、妻がかぶりを振る気配が伝わった。どんな表情をしているかは、背中を向けたままでも——むしろ、そのほうがよくわかる。

「山本くんの奥さんには、早く再婚してほしいな」と私は言った。

「そう?」と返す妻の声は、答えのすべてを知っているふうだったから、私も最後の言葉だけを口にした。

「優しいお父さんができるといいなあ、京香ちゃんに」

妻は返事をせず、しばらく間をおいてから、黙って部屋を出て行った。

*

私のふるさとには五百羅漢《ごひやくらかん》があった。

花の時季のあじさいで知られる古い寺の奥、鬱蒼《うつそう》とした森を間近にした一画に、石彫りの羅漢さまが五百、正確には五百数十軀《く》並んでいる。

誰がいつつくったのか、由来は定かではない。石の角柱に頭の部分を刻み、目鼻もノミで直線的に彫っただけの、素朴な石像だ。面相や姿態がさまざまな他の寺院の五百羅漢とは違い、どの羅漢さまも無表情で、すべて同じ顔立ちのように見える。だが、つたなさが逆に、一軀一軀の羅漢さまに微妙な表情や顔立ちの違いを生み、それがなんとも言えない温《ぬく》もりにもなっていた。

羅漢は、もともとは阿羅漢《あらかん》という。仏教の言葉で、尊敬や施しを受けるに値する聖人を指すのだが、五百羅漢を訪れるひとたちの多くは、悟りを開いた聖人への参拝とは違う目的を持っている。

立ち並ぶ羅漢さまの中には、自分の身内や知り合いにそっくりの顔が必ずある、と言われている。

特に、親の顔——。

写真が誕生する前の時代はもちろん、庶民の暮らしに写真が縁遠かった頃も、たくさんの人びとが、亡くなった親の面影を偲《しの》んで五百羅漢を訪ねた。父親や母親によく似た羅漢さまの前にたたずむ誰もが、なにかを語り、なにかを聞き取って、じっとなにかを祈っていた、という。

私は幼い頃に母を亡くした。もともと体の弱いひとだった。私が三歳のときに風邪《かぜ》をこじらせて、あっけなく世を去った。

父は周囲の強い勧めもあって、私が小学校に上がる少し前に再婚した。新しい母を家に迎えるにあたって、亡くなった母の遺品はすべて処分され、位牌《いはい》も実家に引き取られて、母方の祖父母との行き来はそれきり途絶えてしまった。話し合ってそう決めたのか、話し合いがうまくいかなかったから祖父母と縁が切れてしまったのか、くわしいことはよく知らない。父はなにも語らずに、十年ほど前に世を去った。年老いた親戚にいまさら問い質《ただ》す気はないし、優しかった義母には、感謝こそすれ、恨みなどなにもない。ただ、ひとつだけ言わせてもらえるなら、亡くなった母の写真を、せめて一枚だけでも残しておいてほしかった。

実の母がいたことは覚えている。亡くなったというのもわかる。ただ、母がどんなひとだったかを記憶に残すには、別れたときの私は幼すぎた。だから「思いだす」というのではない。むしろ「出会う」「見つける」のほうが近いだろうか。

私は母と出会いたかった。母にまつわることをたくさん見つけたかった。だが、そのためのよすがとなるものが、なにもなかったのだ。

両親の目を盗んで家中を探しても、なにも見つからない。それが寂しくて、悔しくて、むしょうに悲しかった時期があった。小学一年生の六月頃のことだ。

なぜそんなに母に会いたかったのか。理由は自分でもわからなかった。だから、苦しかった。

義母のせいではない。すでに新しい生活が始まって半年近くたっていた。義母は優しいひとだったし、私もすぐになついた。父や親戚が安堵《あんど》したのを子どもも心にもはっきりと感じ、義母が喜ぶと私もうれしかった。

五月、義母と初めて迎えた母の日には、ピンク色のはな紙でつくったカーネーションを贈った。義母は涙ぐんで喜んで、私を抱きしめてくれた。その翌日から、私は亡くなった母の写真を探すようになったのだ。

自分ではこっそり探していたつもりでも、両親には気づかれていたのだろう。そうでなかったら、父方の親戚の八重子《やえこ》おばさんが、約束もなく日曜日にわが家を訪ねてきて「いまからおばちゃんとバスに乗って遊びに行かない?」と誘うはずがなかった。

父は私を叱《しか》ろうとして、義母が止めていたのかもしれない。悲しむ義母を父が慰めていたのかもしれない。二人そろって途方に暮れていたのかもしれない。

それを見かねた八重子おばさんが、私を五百羅漢に連れて行ってくれたのだと、いまは思う。

バスの中では、とりとめのないおしゃべりしかしなかった。どこに行くのか訊いても、おばさんは「あじさいのきれいなお寺」と言うだけで、くわしいことはなにも教えてくれない。おばさんのほうから私に、ウチのことを訊いてくるわけでもなかった。

バスを終点で降りた。三十分以上歩いてたどり着いた山寺は、青みがかったあじさいの花に包まれて、ひっそりとたたずんでいた。

あじさいの咲く梅雨の頃は、天候が不順で、食べるものも傷みやすい。昔は医療も進んでいなかったので、この時季に亡くなるひとがたくさんいた。境内《けいだい》で咲き誇る何百株のあじさいも、そもそもの始まりは、故人への手向《たむ》けの花だったのだという。

広い境内を奥に進んで本堂の裏に回ると、山が驚くほど間近に迫っていた。雨上がりというわけではなかったが、山ひだに靄《もや》がかかっていた。あたりの空気は急にひんやりとして、湿り気も帯びるなか、そこにもまた、数えきれないほどのあじさいが咲いていた。

石畳を歩きながら、五百羅漢のいわれについておばさんが教えてくれた。

途中から胸がどきどきしてきた。緊張しすぎて、声に出して相槌《あいづち》を打つこともできない。おばさんも問わず語りに一人で話すだけで、私になにか訊いたり、顔を覗《のぞ》き込んだりはしなかった。

五百羅漢の入り口は、小さな山門になっていた。門の前でおばさんは足を止め、「亡くなったお母さんは美人だったのよ」と言った。「だから、羅漢さまの中で一番お顔のきれいなのが、お母さん」

胸の鼓動が高まりすぎて、息が詰まりそうになった。

「会ってみたい？」

うなずけなかった。おばさんをじっと見つめることしかできない。

「会いたいよね」

口をすぼめた。まぶたに力を込めた。

おばさんは、わかってるわかってる、というように大きく二度うなずいてくれた。

「じゃあ、一つずつ見ていけばいいからね」

「……え？」

私はてっきり、どの羅漢さまなのか、おばさんが教えてくれるのだと思っていた。

ところが、おばさんは「一人で行ったほうがゆっくり探せるでしょう？」と言う。

「おばさん、ここで待ってるから」

「でも――」

言いかけた私の言葉をさえぎって、「見ていけばわかるから」と笑う。「たくさんあるなかで、これがお母さんだっていう羅漢さまに、絶対に会えるから」

「お母さんの顔を知らなくても？」

「そう、知らなくても」

「だって——」

言葉はまたさえぎられてしまい、おばさんは「親子なんだから、ちゃんとわかるの」と言って、私の背中を軽く押した。「行ってきなさい」


羅漢さまは、おひなさまのように三段になって並んでいた。

最初のうちは、どれも同じ顔にしか見えなかった。古い羅漢さまは雨風に長年さらされて苔《こけ》むし、削られて、顔のありかすらわからないものも多かった。

それでも、ゆっくりと歩いて眺めているうちに、羅漢さま一人ひとりの顔立ちが少しずつ見分けられるようになってきた。石をノミで直線的に彫っただけなのに、表情が確かにある。笑っている顔、にらんだ顔、おだやかな顔、寂しそうな顔……。

足が止まった。奥まった位置に立つ羅漢さまに、まなざしが吸い寄せられた。

優しい顔をした羅漢さまだった。細い目は微笑《ほほえ》みをたたえ、なにか語りかけてきそうな口元をしていた。男女を示すものはなにもなくても、これは女性だ、と思う。幼い子どもを育てる母親だ、と迷いなく思う。

一歩も動けなくなってしまった。山門の脇に立っていた八重子おばさんがこっちに向かって歩いてくるのに気づいていても、振り向くこともできない。羅漢さまは私を見つめ、小さくうなずいてくれた。口元がさらに優しくなった。信じている。おとなになっても――いまのほうが、よけいに。

おばさんが私の後ろに立った。

「お母さん、美人だったでしょう？」

返事はしなかった。おばさんもすぐに「よかったね」とつづけ、手を合わせて羅漢さまを拝んだ。私も同じように合掌をして、頭《こうべ》を垂れた。

おばさんの声が聞こえる。早口につぶやくようにお経を唱え、途中からは、この子をいつまでも見守ってあげてください、幸せにしてあげてください、と祈りを捧《ささ》げた。

その声が、まるで子守唄のように、耳からすうっと胸の奥に染みていった。目をつぶったわけではないのに、見つめていた羅漢さまの姿が暗がりに消えて、気がつくと、私はしゃくりあげて泣いていた。悲しくもなく、寂しくもないのに、手の甲でどれだけ強く拭っても、涙は次から次へとあふれて止まらなかった。

帰り道、八重子おばさんはお寺の住職に頼んで、石垣に咲いていたあじさいの花を一株分けてもらった。

「これ、おみやげ。お母さんに持って帰ってあげなさい」

「うん……」

きれいな花を受け取って喜ぶ義母の顔が浮かんだ。

目の奥に涙が残っていたのだろうか、その顔は透きとおったシャボン玉に映り込んだみたいにつややかで、かすかに揺れていた。


その日を境に、私は亡くなった母の写真を探すのをやめた。義母とときどきケンカをするようにもなった。

義母はふだんは優しいのに、怒ると意外とおっかない。だが、どんなにきつく叱られたときも、一晩たてば仲直りできた。

弟が生まれ、妹も生まれ、私は跡取りを弟に譲った格好で家を出た。父が亡くなってからは、正直に打ち明けると、ふるさととは少し疎遠になってしまった。

それでも私は、父の法事などで帰省したときには、義母をためらいなく「お母さん」と呼ぶ。

＊

竹内くんに聞いた住所を頼りに、八月に入って早々に仮設住宅を訪ねた。

この地方では七夕《たなばた》祭りを旧暦でおこなうのだろう、途中で立ち寄った仮設の商店街には大きな笹飾《ささかざ》りがあった。短冊には町の復興を誓う言葉とともに、亡くなったひとたちの冥福を祈る言葉や、こちらはみんな元気でやっているから、と伝える言葉が記されていた。

笹のまわりには、折り紙でつくった飾り物も添えてある。鶴がいる。くす玉もある。カエルが何匹もいた。「帰る」と掛けているのだろうか。紙風船があり、星があって、あじさいもあった。赤みがかった花と、青みがかった花の両方。春の遅いこの地方の八月初めは、ひまわりよりもまだあじさいの時季なのかもしれない。

プレハブの仮設住宅は、高台にあるグラウンドを埋め尽くして建っていた。海が見える。町も見わたせる。正確には、かつて「町」だった跡――一年半たっても、復興はまだ、ようやく瓦礫《がれき》を片づけた程度しか進んでいない。

山本くんの家は、両親と奥さんと京香ちゃんの四人が、２ＤＫに同居していた。

玄関脇に、小さな笹が飾られている。

〈プールしたい〉

京香ちゃんが書いた短冊の無邪気さに笑って、少し安堵もした。

「ごめんください」と声をかけると、それを待ちわびていたようにすぐにドアが開き、ノブに手をかけたお父さんが顔を出した。

その瞬間、胸がどきんとして、声が漏れそうになった。

おとなになった山本くんがいる。

東京で見ることのできた山本くんの写真は中学一年生のクラス写真だけだったが、そこからいっぺんに──私まで追い抜いて、白髪《しらが》が薄くなった六十代半ばの山本くんが、確かにここにいた。

小さな仏壇には、写真立てに入った遺影が飾られていた。

二、三年前に会社の慰安旅行で撮った写真だという。大騒ぎした翌朝なのだろう、いかにも二日酔いの眠たげな顔で、髪もぼさぼさ、温泉旅館の浴衣《ゆかた》と丹前の襟元もだらしなくはだけていた。

「仏壇に置くような写真じゃないんですが」

った。

お父さんは申し訳なさそうに、ほんとうはもっとキツい訛《なま》りで、太い眉毛を寄せて言手を尽くして集めた中で、この写真が一番新しいものだった。もっと若い頃の写真なら背広姿のものは何枚もあったが、お父さんがこれにしようと決めた。「せがれに少しでも歳を取らせてやりたくて」と真顔《まがお》で言ったあと、あきれたもんだなあ、と自分で自分をからかって、皺《しわ》の深い顔をほころばせる。

奥さんとお母さんは操業を再開した水産加工場に勤めに出ていて、京香ちゃんは友だちと外で遊んでいた。お父さんは冷凍食品の会社を定年退職したあと、ショッピングセンターの警備員をしていたのだが、津波で店舗は壊滅してしまい、再雇用の世代は真っ先に首を切られた。いまは毎日、一人で留守番をしているのだという。

「留守番といっても、誰が来るわけでもありませんから、寝ころんでテレビを観たり昼寝をしたりして、のんきなものです」

お父さんはまた笑った。ひくつくように上下に動く眉毛も白髪交じりだった。

「でも、おかげさまで、せがれの写真もアルバム一冊になりましたから、それをぱらぱらめくる楽しみもできました」

「そうですか……」

「皆さんに、ほんとうによくしてもらって」

お父さんはポケットアルバムをテレビ台の棚から取り出して、見せてくれた。三十数年の山本くんの人生が、途切れ途切れに、塗り残しのたくさんある絵のように、それでもかろうじて描きあがっていた。

写真は全部で四十枚近い。どの写真にも、それを送ってくれた人の名前が記されていた。

中学時代の写真も何枚かある。一年三組の集合写真の下には、〈同級生・竹内和也《かずや》氏より〉という添え書きと竹内くんの携帯電話の番号があった。一年生のときのものは、その一枚きり。文化祭の写真をなくしてしまったことを、あらためて悔やんだ。

「すみませんでした、お役に立てなくて」

居住まいを正して頭を下げると、お父さんはかえって恐縮して顔の前で手を振り、「先生にわざわざ来ていただいて、せがれもびっくりして、喜んでると思います」と言った。

「……お線香を」

「ええ、あげてやってください」

線香を供え、鈴《りん》を鳴らして、手を合わせた。

ごめんな、と謝った。

山本くんのことは、なにも思いだせないままだった。あの学校を訪ね、学区内を歩いてみても、だめだった。当時の同僚に話を聞いても「おとなしい生徒だったなあ」「目立たない子でしたよ」としか返ってこない。そして誰もが「それはしょうがないですよ、二十何年も昔のことなんだし、一年しか教えてないんですし、なにしろ毎年毎年生徒は入れ替わるわけですから」と慰めてくれた。

目立たない生徒をずっと忘れずにいるのがどんなに難しいことなのか、ベテランと呼ばれる教師なら誰でもわかってくれるだろう。

それでも謝りたかった。だから、ここまで来た。

山本くん、京香ちゃんにきみのことをなにも伝えてあげられずに、ごめん。

京香ちゃん、きみの大切なお父さんのことを忘れてしまって、ほんとうに、ごめん。

＊

ふるさとの五百羅漢は、小学校の高学年になってから、何度か一人で自転車に乗って訪ねた。

とりたててなにかをするわけではない。あの羅漢さまに手を合わせ、しばらく向き合って、それで終わり。訪ねる理由が特にあるわけでもない。「ひさしぶりに行ってみようか」とふと思い立って出かけ、お参りがすめば「じゃあ、またね」と羅漢さまに声をかけてひきあげる。

義母や父へのあてつけではなかった。亡くなった母が恋しくてそうしたのでもない。それでも、義母には言えなかった。出かけるときも、戻ってくるときも、こっそり——やはり、微妙な後ろめたさはあったのだろう。

中学に上がってサッカー部の練習に打ち込むようになると、めっきり足が遠のいた。ローカル線の鉄道で片道一時間近くかけて通学していた高校時代は、卒業まで一度も訪ねる機会はなかったし、東京の大学に進み、東京で教師になってからは、思いだすことすらほとんどなかった。

そんな五百羅漢をひさしぶりに訪ねたのは、妻と結婚することを決め、両親に報告するために帰省したときだった。

父と義母、そして半分だけ血のつながった弟と妹も、みんな心から妻を歓待してくれた。妻はとても喜んでいたし、私もほんとうにうれしかった。

だが、亡くなった母にも挨拶をすることは、東京を発《た》つ前から二人で決めていた。父と義母には黙っておこう、ということも。

　飛行機の時間より少し早めに家を出て、レンタカーで空港に向かう途中に寄った。あの羅漢さまに会うのは十数年ぶりということになる。

　秋だった。あじさいの代わりに、山寺は色鮮やかな紅葉《もみじ》で染め上げられていた。

　山門をくぐって五百羅漢に足を踏み入れた妻は、「すごいね……」とつぶやいた。散り落ちたカエデの紅《あか》い葉が絨毯《じゆうたん》のように敷き詰められた地面に、数百の石像が整然と立ち並ぶ。その風景は、子どもの頃の記憶よりずっと美しく、幽玄で、一人ひとりの羅漢さまの表情も、いっそう深みと温かみを帯びているように見えた。

「亡くなったお母さんは、どの羅漢さま？」

「あっちだよ、あそこの三番目」

　指差して歩きだしたが、少し進んだところで足が止まった。「あれ？」と声をあげ、首をかしげた。

「どうしたの？」

「いや……顔がちょっと……」

　記憶にあったものと印象が違う。指で場所を確認してみた。ここでいい。けれど、目元や鼻筋や口元のたたずまいが、微妙に違っているように思えてしかたないのだ。

場所が変わった？　いや、まさか。石材が欠けたり、傷ついたりしたせい？　そういう感じでもない。

「ねえ、ひょっとしたら」

妻が不意に言った。「それって、おとなになった、ってことじゃないの？」

「俺が？」

「そう、あなたが」

声も出せずに、一瞬ぽかんとした。その直後、肩の力が抜けた。胸の奥深くから吐息と笑いが同時に漏れた。

秋の空に風が吹きわたり、カエデの梢《こずえ》から落ちた紅い葉が、渦を巻きながら虚空《こくう》を舞う。

羅漢さまをあらためて見つめた。あの頃と比べて、顔立ちのどこがどう違うのか、じつはまるで変わってなどいないのか、もうなにもわからない。同じ羅漢さまが、いまは、私よりうんと若い別の誰かの母親になっていても、もしかして父親だったとしても、それでいいんだろうな、と自然と頰《ほお》がゆるんだ。

妻と二人で手を合わせ、頭を下げた。昔の八重子おばさんと同じように、妻は目をつぶって羅漢さまに祈りを捧げていた。

よろしくお願いします、幸せになります、どうか見守っていてください……。

私はそれきり五百羅漢を訪ねたことはない。

＊

焼香を終えると、お父さんにビールを勧められた。

あいにくレンタカーで来ていたので遠慮すると、お父さんは「じゃあ、私もこっちにしようかなあ、ビールは泡で腹がふくれるだけだから」と言い訳するようにつぶやいて、甲類焼酎《しょうちゅう》の大きなペットボトルを台所から持ってきた。

コップにとくとくと注いだ焼酎を、氷も割るものもなく、ストレートで啜《すす》る。

「毎日毎日、することは留守番だけっていうのも、どうも、退屈で」

酒を一口飲んだだけで、笑い方が急にゆるむ。気持ちが安らいだように、と言えばいいのか、だらしなくなった、と言うべきなのか、私にはわからない。ただ、「退屈」という言葉がせいいっぱいの強がりだということだけが胸に染みる。

「先生、レンタカーだと、今夜のうちに途中まで帰るんですか」

お父さんは、内陸部にある県庁所在地の名前を口にした。

「いえ……もう、東京まで」

「日帰りですか」

「……すみません」

お父さんは、いやいや、とかぶりを振り、「お忙しいところ、ほんとうにすみません、ありがとうございます」とあらためて頭を下げてから、「じゃあ、見てもらうことは、ちょっと難しいかなあ」と言った。

「……なにを？」

「夕方ね、陽《ひ》が沈む頃、海のほうにたくさんひとが来るんですよ。もともとは海水浴場があって、砂浜が広くて、松林はみんな津波で持って行かれたんですけどね」

「ひとが来るっていうのは、町のひとたちですか？」

「そう。ここの仮設からだと、海まで歩いて二十分ぐらいかなあ、仮設で近所になったひとも、よく行ってますよ。ウチのばあさんと嫁も、仕事の帰りにしょっちゅう寄ってますしね」

コップの焼酎を飲み干したお父さんは、あたりまえのように二杯目を注いで、あたりまえではないはずの言葉を、さらりと言った。

「幽霊が出るんですよ、日が暮れて、薄暗くなった頃」

人魂《ひとだま》のようなほの白いものが沖のほうにいくつも浮かぶ、という。

もっとはっきりとした姿形のひとが波打ち際から砂浜に上がってくる、ともいう。

「七百八十五人」

お父さんはぽつりと言った。「ここの町内で遺体があがったのがそれだけで、まだ行方不明なのが二十人ほどいますから、まあ、八百人です、八百人以上があの海に呑まれたわけですから、幽霊も出るでしょう、そりゃあ」

突き放すような醒《さ》めた口調も、強がりだとわかる。

私は麦茶を一口飲んでから、訊いた。

「皆さん、会いに行くんですか」

喉《のど》を湿したはずなのに、声は少しかすれてしまった。

「会いたいんでしょうねえ」

ひとごとのように言ったお父さんは、「まあ……会いたいですよね」とつづけた。

しばらく話が途切れ、その間に二杯目の焼酎も空いた。

お父さんはペットボトルに手を伸ばしかけて、私と目が合うと、少しだけ気まずそうにへへッと笑って手を引き、「それにしても」と話を変えた。

「写真というのはたいしたものですね。泣けるんですよ、写真があると」――「女房も、嫁も、孫も」とつづけたあと、少し間をおいて「私も」と付け加える。

山本くんの写真が家になかった頃は、仏壇の前で悄然《しょうぜん》とするしかなかった。悲しみは胸に降り積もる一方で、流れ出て行く先がない。写真が届いて、やっとそれが見つかった。家族がみんな泣くようになった。仏壇に向かわなくても写真をちらりと見るだけで、いや、写真がそこにあるということ、ただそれだけで、目に涙がにじんでしまう。

「おかげで、みんなすっかり泣き虫になって、家の中が湿っぽくなっちゃってね」

言葉ではぼやいていても、表情のほうは、ほっとしている。

私は麦茶を啜る。今度は、喉がちゃんとうるおった。

「先生、ちょっとね、教えてほしいことがあるんですよ」

「……はい？」

「どうもね、私、子どもの心っていうんですか、心理っていうか、よくわからなくて。せがれのときも子育ては女房に任せきりだったもんで、どうもその……」

語尾をぼそぼそと濁して立ち上がり、仏壇の引き出しを開けて、二つ折りにした紙を取り出した。

「ちょっと見てもらえますか」

受け取って広げると、クレヨンで描いた男のひとの顔があった。眉毛はそれほど太くなかったが、一目見てすぐに、ああ、山本くんだ、とわかった。

京香ちゃんが、去年の暮れに描いた。

雪がふぶいて外で遊べなかった日、コタツに入って落書き帳を広げ、クレヨンを持つ手を一心に動かしていた。酒に酔ってうたた寝をしていたお父さんが気づいたのは、絵があらかた仕上がった頃だった。

「逆さから覗き込んだだけで、すぐにわかったんですけど……誰なの、って訊いてみたんですよ。そうしたら、パパ、って」

とりたてて悲しみをつのらせた様子はなかった。パパのことを懐かしみ、いなくなった寂しさを嚙みしめていたわけではなく、退屈まぎれにちょっと描いてみたというだけだったのだろう。

できあがった絵にもたいして思い入れはないようで、すぐに落書き帳のページをめくって、新しい紙に別の絵を描きはじめた。お父さんがタイミングを見計らって「さっきのパパの絵、おじいちゃんにくれるかな」と声をかけたときも、「いいよぉ」と軽く応えただけだった。いまでは、その絵を自分が描いたことすら忘れているようだ、という。

「それで、いちおうしまってあるんですけどね……この絵のことは、まだ女房にも嫁にも言ってないんですけど、私、好きなんですよ、この絵。写真よりいいんじゃないかって思うほどで、似てる似てないじゃなくて、いいんですよ、ほんと……」

私は黙ってうなずいた。ノミで石を彫っただけの五百羅漢の顔が浮かぶ。京香ちゃんを私のふるさとの五百羅漢に連れて行けば、山本くんに会えるだろうか。そんなことも、ふと思った。

「私としては、これ、額《がく》に入れて飾っておきたいぐらいなんですよ。自分が見たいっていうだけじゃなくてね、孫に見せてやって、教えてやって、このひとがおまえのパパで、私のせがれで……ねえ、ほとんどものごころがつく前に亡くなってるんですから、いまはかろうじて、かすかに覚えてることだって、あと何年かすれば、もうなにも思いだせなくなっちゃいますよ。ねえ先生、そういうものでしょう? 子どもの頃の思い出って」

応える前に、「でもねえ」と遠くに目をやって、つづける。

「ほんとうは写真もどこかに片づけて、このまま忘れさせてやったほうがいいのかなあ、って思うときもあるんですよ」

山本くんの奥さんは、まだ若い。じかに口に出すことはなくても、お父さんもお母さんも、いずれ奥さんが再婚するかもしれないというのは受け容《い》れている。京香ちゃんにも新しいパパができる。それはしかたのないことで、むしろ、そうなってほしい、とも思う。

「だって先生、このまま嫁が女手一つで孫を育て上げて、せがれの墓守をして、年寄りの面倒まで見て、それで一生が終わっちゃうんじゃあ、ねえ、いくらなんでもかわいそうじゃないですか、そうでしょう?」

お父さんは焼酎のペットボトルに手を伸ばす。途中で私の視線に気づいて、またバツの悪そうな苦笑いを浮かべたが、今度はそのままコップに注いだ。

私は膝《ひざ》の上に広げた絵を、じっと見つめる。

「おとなになってから教えてやればいいんですかねえ……」焼酎を一口飲んだお父さんは、息をつきながら言う。「おまえが子どもの頃に描いた、亡くなったパパの絵があるんだぞ、って。もしおまえが見たいんだったら見せてやるし、見たくないんだったら、このましまっておくから、って」

私は膝の上の絵を二つ折りにして、会釈とともにお父さんに返した。お父さんはそれをまた仏壇の引き出しにしまって、あぐらをかいて座り直し、焼酎を啜る。

「留守番ってのは、ほんとに退屈で、もうほんと、退屈なんですよ」

上体がぐらりと揺れるのを手をついて支え、もう一口啜る。

「今度、泊まりがけで来られるときがあったら、一杯やりましょう」

「ええ……」

「ここの海は、秋になるとタコがいいんですよ。水ダコっていう大きいタコで、身は水っぽいんですけど、吸盤を茹《ゆ》でたのはコリコリして、いい酒の肴《さかな》になるんです」

なあ、美味《うま》いよなあ、タコは、とお父さんは仏壇の写真に笑う。おまえ、タコのしゃぶしゃぶ、好きだったもんなあ。

山本くんの寝起きのぼうっとした顔は、なんだか、いまにも「おはよう……」と挨拶をしてきそうだった。きっと眠たげに、もしかしたらあくび交じりで、その声がお父さんには毎朝聞こえているのだろう。

*

帰りに海岸に寄った。

夕暮れ時まで待ちたかったが、レンタカーを返却する時刻から逆算すると、夏の陽がようやく翳《かげ》りかける頃までしか、この町にはいられない。

かつては文字どおりの白砂青松《はくしゃせいしょう》で、夏は海水浴客で大いににぎわっていたという海岸に、いまはもうその頃の面影はない。海中の瓦礫は撤去されていたが、よそからやって来るひとたちはもとより、地元の子どもたちでさえ誰も泳いでいない。

海岸沿いの道に車を停《と》め、砂浜を波打ち際まで進んでいった。

波が浜に打ち寄せては退《ひ》いていく。外海に面して、はるかに水平線まで見わたせる海岸だった。沖のほうでは白波が無数にたっている。その一つひとつに亡くなったひとの魂が宿っているのだと言われれば、いまは、信じる。

波打ち際のすぐ手前で足を止めた。風に乗った波しぶきが頬をかすかに濡《ぬ》らし、カモメが一羽、海岸から沖のほうへ、私を追い越すように空を滑って飛んでいった。

白波は、迫《せ》り上がっては砕けるのを、はてもなく繰り返す。その波のどれを見るともなく眺めながら、私はそっと手を合わせ、頭を垂れた。

また次の春へ

転送の付箋《ふせん》を貼られた両親宛ての手紙が、九月の終わりに、東京で暮らす洋行《ひろゆき》のもとに届いた。

妻の英里子《えりこ》が昼間のうちにマンションの集合ポストから取り出して、リビングのサイドボードの上に置いてくれていた。

「ダイレクトメールだと思うんだけど」と英里子が言うとおり、両親の住所や名前はパソコンで印字され、その脇には整理番号のような英数字も添えてある。

差出人は、北海道のMという町の観光振興課で、封筒も町役場の公務用のものだった。

「心当たりある?」

「いや……全然ないな、M町なんて」

そんな町が北海道にあることじたい知らなかった。両親の話に出ていた記憶もない。封筒に印刷された簡単な町の紹介によると、北海道の南部に位置して、人口は二万人ほど。津軽海峡に面していて、主な産業は水産業と林業。スズランが町の花、町の樹《き》はオオヤマザクラ。そのサクラの花びらをイメージした町章の下には、〈メモリアル・ベンチの町〉というキャッチフレーズも記してあったが、やはり思い当たるふしはなかった。

封筒を裏返したり照明に透かしたりしているうちに、じわじわと腹が立ってきた。なにかの名簿を業者から入手して、無作為に送りつけているのだろう。そうとしか考えられない。封筒に記された住所は確かに実家のある所番地だったが、いま、その場所に家は建っていない。我が家だけでなく、入り江に面した集落すべて、建物の土台だけを残した更地になってしまっている。住所を少し注意深く見てみれば、この半年で数えきれないほどマスコミで報じられた地名だというのはすぐにわかるはずなのに。

憤然としたため息をついて、あらためてサイドボードに向き直り、天板の上に並んだ二つの写真立てに「ただいま」と声をかけた。

向かって右が父親、左が母親。

父親の写真は四十代半ばに撮ったもので、母親のほうは古稀《こき》のお祝いをしたときの写真だった。

同い年の夫婦なのだから写真も揃《そろ》えたかったし、今年は二人とも喜寿《きじゅ》を迎えるのだから、もう少し最近の写真が欲しかった。せめて、いま五十歳の洋行よりも写真の父親のほうが年下というのはどうにかならないか、と思う。

それでも、こんな二枚の写真でさえ、親戚や知人のもとをほうぼう回って、ようやく手に入れたのだ。

実家に置いてあった家族のアルバムは一冊も手元に残っていない。十八歳までの洋行自身の写真も、もう見ることはできない。幼なじみに「俺の写真があったら欲しいんだけど」と頼みたくても、彼らの家もほとんどが更地になってしまった。

半年前、洋行のふるさとは、暗い色をした海に呑《の》み込まれた。粉雪が舞う三月の午後、まず激しい地震が起きた。その三十分後に津波が襲った。高さ十メートルを超える大津波が、防潮堤を軽々と越えて、入り江に面した集落を根こそぎさらっていったのだ。

多くのひとが亡くなった。半年たったいまもなお、行方がわからないひとたちもいる

――洋行の両親も、そう。

だから、洋行は二枚の写真には手を合わせない。これは決して遺影ではないんだ、と自分に言い聞かせている。

写真を飾ることとじたい、ほんとうは間違っているのかもしれない。だが、両親は必ずどこかで生きている。目の前からいなくなっただけで、どこかに絶対にいる。その「いる」を実感したくて、あえて写真を飾り、挨拶程度のものでも毎日必ず話しかけることに決めた。高校を卒業してからは親と暮らすことのなかった一人息子として、せめてそれくらいはしておきたい。

「なんなんだろうね、この手紙」

封筒を軽く掲げ、写真の両親に見せた。「開けちゃうよ」と断ってから、ソファーに座って封を切った。

〈メモリアル・ベンチ　オーナーの皆様へ

時下ますますご清祥のことと存じます。

暦はようやく秋分を過ぎたばかりですが、M町ではここ数日めっきり冷え込んで、山からの風には冬の気配すら感じ取れるようになりました。今年の冬の訪れは早そうです。

さて、その節はメモリアル・ベンチの趣旨にご理解ご賛同を賜り、オーナーになっていただきましたこと、あらためて御礼申し上げます。おかげさまで町内のベンチの数は今年8月現在で72基に達しました。目標の100基達成まであともう一踏ん張りということで、職員一同ますます張り切っています。

オーナーの皆様からお預かりしたベンチは、職員はもちろんのこと、町の人々もボランティアで掃除やニスの塗り替えなどのメンテナンスを続けています。どうぞまた機会がありましたら、M町にお越しいただき、ご自身のベンチとの再会のひとときをお楽しみください。

本日はオーナーの皆様に、心ばかりの季節のご挨拶を差し上げます。同封の優待券は町内すべてのお店で使えます。また、民宿やタクシーなどに予約を入れられる際には、オーナー登録番号をおっしゃっていただければ、優先予約を承ります。またお問い合わせやご意見などがございましたら、観光振興課・星野《ほしの》宛てにご連絡ください。

12月の半ば過ぎからは雪の季節です。ベンチも来年春までしばらく冬眠（?）ということになります。どうぞその前にお越しください。10月のM町には鮭《さけ》が上がってきて、11月には紅葉《こうよう》がとてもきれいです。オーナーの皆様のいっそうのご健勝を心よりお祈りしております〉

私信ではない。だが、商品の売り込みのダイレクトメールとも違う。返事を出す必要はなくても、このまま捨ててしまうのはためらわれた。

そもそも、メモリアル・ベンチとはなんだ？　そして、両親とＭ町とは、どういうかかわりがあるのだろう。

便箋《びんせん》を封筒に戻し、写真立てと一緒に買ったレターボックスに入れた。両親宛ての郵便物や書類はすべて、その箱の中にしまってある。手紙が増えたのは二カ月ぶりのことだった。

三月の厄災からしばらくたって、実家宛ての郵便物はすべて東京に転送するよう手続きを取った。

送られてくるのは大半がダイレクトメールだったが、両親の知り合いからの手紙も二十通ほどあった。

封筒の表書きに小さな字で〈仮設住宅に引っ越されていた場合は、そちらに転送してください〉と郵便局へのメッセージを添えていたひともいたし、電話で連絡がつかないのを心配して手紙を書き送ってきたひともいたが、両親が行方不明になっていることは、誰も知らない。

洋行はその一通一通に返事を書いて、事情を説明した。返事の手紙の締めくくりは、最初のうちは〈父も母も無事に帰ってくると信じています〉だったが、やがて、自分でも意識しないまま、〈信じています〉が〈祈っています〉に変わってしまった。

夏になると転送される手紙は途絶えがちになり、八月、九月と返事を書く機会はなかった。

手紙が来なくなるのは、両親が「いない」ことをなしくずしに事実にされてしまうような気がして寂しい。けれど、今度また事情を知らないひとからの手紙が届いたら、返事に〈祈っています〉と書けるかどうか自信がない。そのとき自分はどんな言葉を選ぶのか、いまは考えないようにしている。

M町のホームページで調べてみると、メモリアル・ベンチは、二年前から始まった町おこしの事業だった。

特産のエゾマツの間伐材《かんばつざい》で作ったベンチを一基十万円で買い取り、名前やメッセージを記したプレートをつけて、自分のベンチにする。結婚記念、退職記念、子どもの誕生記念、クラスの卒業記念、チームの優勝記念……個人から団体まで、さまざまな思い出がベンチに記される。それを町のあちこちに置くことで、「メモリアル・ベンチの町」としてPRしているのだ。

もともとはイギリスで生まれた習わしだった。亡くなったひとを偲《しの》ぶために、遺族や友人が故人へのメッセージを添えたベンチを公園に寄贈したのが始まりなのだという。

「追憶」のベンチだったわけだ。それが世界に広がっていくうちに、しだいに「記念」の意味合いが強くなっていったのだろう。

正月休みに帰省したときには、両親はベンチのことは一言も話していなかった。去年のお盆休みも、さらにその前の正月休みも、M町の名前すら聞いた覚えがない。

それでも、両親はなにかの「記念」で申し込んだのだ。十万円は小さな金額ではない。ふとした気まぐれでオーナーになったわけではないはずだ。

「どうするの?」と英里子が訊《き》く。「少し落ち着いたら、M町に行ってみる?」

洋行は黙ってうなずいた。「落ち着いたら」という英里子の言葉を、耳の奥で軽く転がすように繰り返した。

その沈黙の意味を察した英里子は、あわてて「そうじゃなくて——」と言いかけた。

「わかってるよ」

洋行が笑って制したとき、電話が鳴った。一人娘の奈々《なな》からだった。受話器を取った英里子の口ぶりからすると、また夕食のおかずにしくじってしまったようだ。

英里子は「最初のうちは誰だってそうなんだから」と励まして料理のコツを伝え、新婚間もない奈々に「敏也《としや》さんにも手伝わせればいいのよ、こういうのは最初が肝心なんだからね」と冗談めかして言う。

代わろうか、と目配せされたが、洋行はかぶりを振ってトイレに立った。リビングに残っていたら、「お父さんに代わるね」と強引に受話器を渡されかねない。

用を足しながら、もう一度、「落ち着いたら」の言葉を嚙《か》みしめた。

両親が無事に帰ってくれれば、三月からの重苦しい半年間は奇跡的なハッピーエンドで締めくくられるはずだが、それはもう望んでも詮ないことだろう。

しかし、死亡届を出す気にはなれない。集落で同じように行方不明になったひとたちの多くは、夏のお盆や秋のお彼岸をけじめにして、遺体が見つからないままで葬儀が営まれた。洋行の親戚にも、そろそろ考えたほうがいい、と言うひとが増えてきた。宙ぶらりんのままでは親父《おやじ》さんたちもかわいそうだ、早く落ち着かせてやるのも親孝行じゃないか、と言われると、なにも返せない。それでも、まだ、終わりにしてしまいたくはないのだ。

両親の生還はあきらめているのに、死を受け容《い》れられない。矛盾だというのは、自分でもわかっている。いつまでもこのままではいられない。それもわかる。いっそ誰かが勝手に死亡届を出してくれればいいのに。最近ときどき思い、そのたびに嫌な気分になってしまい、気がつくといつも——いまも、左胸にそっと手をあてている。

リビングに戻ると、電話は終わっていた。

「お父さんにもよろしく、って」

英里子が奈々の伝言を伝えた。「涼しくなって、夏の疲れが急に出ちゃうんじゃないかって心配してたわよ」

「だいじょうぶさ」

「あと……検査のことも」

声が沈む。洋行から目をそらして「わたしも付き添ったほうがいいって、また言われたんだけど」とつづける。

「そんなのいいって。何度も言わせるなよ」

不機嫌に話を切って、「それより、準備は進んでるって言ってたか?」と訊いた。

「聞いたわけじゃないけど、平気なんじゃない?」

「なんだよ、ちゃんと確かめなきゃ。あいつはのんきなところがあるから、こまめに見てやってくれよ。向こうの親や親戚にも三月はいろいろ迷惑や心配をかけちゃったんだから、今度はそのぶんもしっかりやらないと」

奈々は十二月に結婚式を挙げる。もともとは四月に挙式するはずだったのだが、三月の厄災から日が浅く、なにより新婦の祖父母が行方不明のままでは……と、入籍だけはすませたものの、結婚式と披露宴は延期することになったのだ。

無理を聞いてくれた向こうの両親には感謝している。それと同時に、奈々に嫁ぎ先への負い目を持たせてしまったことを申し訳なくも思う。仕切り直しの式と披露宴は、だから、なにがあっても奈々の二十五年の人生で最も輝かしい一日にしてやりたい。

「だいじょうぶよ」

英里子はなだめるように笑う。「敏也さんと奈々に任せればいいの、自分たちのことなんだから」

「そんなこと言ったたって」

「ストレス、奈々も心配してたのよ。お父さんはとにかく三月からずっと気が張り詰めてたから、それで具合が悪くなったんじゃないか、って」

「胃じゃないんだから、ストレスなんて関係ないよ」

「でも、免疫力が落ちるって言うじゃない。田舎《いなか》のことはともかく、結婚式はだいじょうぶだから、もっと、のんびり、ゆったりしてよ」

それで影が消えてくれるのなら、そうするよ――。

喉元《のどもと》まで出かかった言葉を呑み込んだ。体のことを誰よりも案じてくれている英里子に、そこまで拗《す》ねた言葉をぶつけたくはない。

左の肺に影がある。レントゲンで見つかり、CTスキャンでも出て、造影剤を使ったCTではさらにくっきりと見えた。悪性のものかどうかはさらに精密検査をしなければわからないが、とりあえず三カ月の経過観察をすることになって、いまはその後半の日々を過ごしている。

影が見つかったのは偶然だった。三月からふるさとに通い詰めているうちにしつこい咳《せき》が出はじめたので、五月に医者にかかった。近所のクリニックでは埒《らち》が明かず、六月に大学病院に移った。そこの医師に「念のために、もう一度」と勧められて撮った肺のレントゲンに、クリニックで撮ったときには見つけられなかった影が写ったのだ。

咳のほうはほどなく収まり、瓦礫《がれき》の埃《ほこり》を吸ったせいだろうということで終わった。まるで肺の影を知らせるために出たような咳だったし、それをさらにさかのぼっていくと、ふるさとと両親を襲った厄災に行き着いてしまう。

運が良かったのだろうか。

なにかに導かれた、ということなのだろうか。

影のことを洋行が打ち明けたとき、英里子は「絶対になんでもない影に決まってるんだけど」と前置きしてから言った。「おとうさんとおかあさんに会えたら、お礼を言わなきゃいけないよね」

そうだな、と洋行も笑ってうなずいた。だが、両親と向き合って「助かったよ」と礼を言う自分の姿と、はにかんで応える両親の姿は、どんなに想像をめぐらせても浮かんではこない。夜空の星を見上げて「ありがとう」とつぶやくほうがずっと自然だった。

＊

十一月の初め、ふるさとで行方不明者の一斉捜索がおこなわれることになった。八月以来三カ月ぶりで、知らせてくれた幼なじみの孝一《こういち》によると、今年最後――来年以降を考えても、おそらく最後の一斉捜索になるのではないか、という。

県や市は、復興計画をなかなかまとめられずにいる。防潮堤を新たに築くのか、土地をかさ上げするのか、高台に移転するのか。それぞれの利害や思惑が複雑にからんで、議論は難航をきわめていた。避難場所や避難ルート、警報の出し方などに不備があったせいで多くの人命が喪《うしな》われたのだ、と市長を提訴する動きも出ている。

そんななか、海沿いの地域の地盤沈下は特に深刻だった。洋行が生まれ育った入り江の集落も、一メートル近く地盤が下がってしまったらしい。

いまは土嚢《どのう》を積んだ応急処置でしのいでいるが、大潮の日の満潮時には一帯が冠水してしまう。一日も早く本格的な工事に取りかからなければならない。今度の行方不明者の捜索も、海岸に重機を入れる前におこなう、けじめの儀式のようなものだった。

「どうする?」

孝一は洋行に訊いた。「捜すのは警察と消防でやるから、わざわざヒロちゃんが東京から帰って来るほどのことじゃないとは思うんだけどな」

洋行もそう思う。

「もしなにか見つかったら、すぐに連絡してやるよ」

期待はしていない。だいいち、これは「行方不明者の捜索」ではない。正確に言うなら「三月に行方不明になったひとの遺体や遺品の捜索」なのだ。ほかの街でも同じように捜索をしていたが、見つかるのは衣類の切れ端《はし》がせいぜいで、たとえ遺体の一部が発見されたとしても、その身元をDNA鑑定で照合するには何カ月もかかるのだという。

だが、洋行は「帰るよ」と答えた。「地元でもひとを出すんだろ?　こっちも知らん顔はできないから」

集落の行方不明者は、三月の時点では二十人ほどいたが、遺体が見つかったり、見つからなくても家族が死亡届を出したりして、いまもまだ行方不明のままなのは、洋行の両親と、あと一人――孝一が「菊池《きくち》のばあちゃん、先週葬式を出したよ」と教えてくれたので、両親だけになった。

菊池のばあちゃんは遺体はあがらなかったが、使っていた歯ブラシが自宅の跡地で見つかったので、それを骨壺《こつつぼ》に納めて弔ったのだという。

「ウチだけになったんだったら、よけい俺が帰らなきゃまずいだろ」

「まあ、そうしてもらったほうが、正直、スジは通ると思うけどな」

スジや義理を欠かすわけにはいかない。そういう田舎の付き合いのうっとうしさをあらためて突きつけられた半年間でもあった。

「帰って来るなら、みんなにも声をかけるから、ひさしぶりに一杯飲《や》ろう」

「ああ……」

本音を言えば気乗りはしなかったが、おととし東京からUターンした孝一が間に立ってくれたおかげで、瓦礫の始末やコンクリートの基礎の撤去工事など、東京にいたままでも進められたのだ。

洋行は「ちょっと教えてほしいことがあるんだけど、いいかな」と口調をあらためた。

「ウチの親父とおふくろ、去年かおととし、北海道に旅行してなかったか」

「はあ？」

「北海道のM町っていうところなんだけど」

「M町ねえ……俺、聞いたことないなあ。北海道のどのあたりなんだ？」

場所を簡単に説明して、近くの観光地の名前もいくつか挙げてから、「バスツアーで行ったとか、そういう話は聞いてない？」と重ねて訊いた。

孝一はしばらく記憶をたどって喉を低く鳴らしたが、「わかんないなあ、すまん」とあきらめた。

「いや、いいんだ、こっちこそごめん」

「ウチの親にも訊いてみるよ」

「悪いけど、頼む」

なんもなんも、と孝一は笑って言う。ふるさとの方言が覗《のぞ》いた。いやいや、と照れたり謙遜したりするときにつかう言葉だ。

「ああ、それで、ついでってわけじゃないけど、俺もヒロちゃんに訊きたいことがあったんだわ」

「……なに？」

「今度の一斉捜索で、親父さんとおふくろさんのこと、一区切りつけるのか？」

返事に詰まった。言葉にしなくても、そのぎごちない間《ま》が答えになってしまった。

孝一は「わかった」と言った。了解したというより、もうこの話はやめるよ、と告げる口調だった。

逆に洋行のほうが「悪いとは思ってるんだけど」と言い訳めいた言葉を継いだ。

「いや、そんなことないよ。親子なんだもんな、難しいよな、そんなの」

「……おばさん、最近調子はどうなんだ？」

「まあ、ぼちぼちだ。いいときもあれば悪いときもある」

孝一の母親は仮設住宅に入ってから、認知症の症状が出るようになった。一日に何度となく、仲が良かった洋行の母親のことを、まるでついさっきまで一緒にいたかのように話すのだという。

「でも、おばさんがいなくなったことはわかってるんだ。最後はいつも、謝ってる。泣きながら謝って、早く帰ってきて、早く帰ってきて、って……ほんとキツそうで、見てるほうもキツいよ、正直」

だから、と孝一は言いづらそうにつづけた。

「おじさんとおばさんの写真に手を合わせさせてやれば、おふくろは、意外と楽になれるような気もするけどな」

洋行もそう思う。両親の死を受け容れて、遺影でも位牌《いはい》でも墓でもいい、とにかく手を合わせる先をつくれば、みんなの気持ちは落ち着くはずなのだ——洋行自身も。

なのに、それができない。もうとっくにあきらめているのに、死亡届を出すことだけが、どうしてもできない。

電話を切ったあと、心の中で孝一の母親に謝った。

三月のあの日、両親は地震のあといったんは地区の集会所に避難したのだ。だが、津波が到達したのは地震から三十分以上たってからだった。その三十分を、母親は堪《こら》えきれなかった。手ぶらで逃げてきたので、いまのうちに家から大事なものを取ってくる、と言って家に向かった。そばにいた孝一の母親が引き留めても聞かなかったらしい。母親を追いかけた父親も、結局は一緒に家まで向かったのだろう、集会所に戻ってはこなかった。

孝一の母親は、もっと強く引き留めておけばよかった、とひどく悔やんで、自分を責めた。洋行にもずっと詫《わ》びどおしだった。それが認知症を発症した要因の一つでもあったのかもしれない。

なぜ両親は家に帰ってしまったのだろう。いまでも、ときどき思う。命と引き替えにしてまで取りに帰りたかった大事なものとは、いったいなんだったのだろう。両親はそれを誰にも話さずに、集会所から駆け出してしまった。預金通帳、保険証券、高血圧と痛風の薬、老眼鏡、先祖の位牌、家族の写真……思いつくものを次々に挙げていくと、どれも正解のような気がするし、逆にどれも見当違いのようにも思う。

津波に呑み込まれて行方がわからなくなってしまったのは、両親の体だけではない。両親が最後に胸に抱いていたはずの思いもまた、もう二度と手の届かないところに姿を消してしまったのだ。


土曜日から月曜日まで、二泊三日で帰郷することにした。警察と消防による捜索は日曜日の朝から夕方までなので、捜索が終わってすぐに出発すれば、新幹線の最終に間に合って日曜日のうちに帰宅できる。だが、捜索には地元のひとたちも協力してくれるのだから、当事者がさっさとひきあげてしまうのは、それこそスジの通らない話だろう。

さらに東京に戻った二日後、水曜日から翌週の木曜日までは、もっと気の重い予定も入っている。九日間の予定で大学病院に検査入院しなくてはならないのだ。

三カ月の経過観察をへた主治医の診断は、白黒で分けるなら、相当に黒い灰色——血液検査の腫瘍《しゆよう》マーカーや喀痰《かくたん》細胞診の数値は「確定」というほど上がってはいなかったが、さらに経過観察をつづけて放っておくのはリスクが高い。影の位置もよくない。肺の末梢《まつしよう》にあるため気管支に内視鏡を入れることができず、万が一悪性の腫瘍だった場合も摘出が厄介になるらしい。

「ちょっと胸を開けて、覗いちゃいましょうか」と主治医は言った。「そうすればすぐにわかりますからね」

軽い口調が救いではあった。だが、逆に空々《そらぞら》しさを嗅《か》ぎ取るべきだったのかもしれない、と日がたつにつれて思うようにもなった。

半ば呆然《ぼうぜん》としたまま入院の日程を決めて、退院後の予定を思いだした。土曜日に奈々と敏也が実家に顔を出して、十二月の結婚式の打ち合わせをする。英里子はひさしぶりの手料理で二人をもてなすんだと張り切っていたが、退院の二日後では、ワインで乾杯するのは無理だろう。

手帳に帰郷の予定を書き入れた。両親の捜索に、自分の入院に、娘の結婚式の打ち合わせ。やれやれ、と苦笑交じりのため息が漏れる。今年はいろいろなことがあった。ありすぎた。こんな一年は五十年生きてきて初めてだったし、これからも、あっては困る。

有給休暇は夏までに使い切ってしまったので、今度の帰郷や入院はそのまま十一月の月給に響いてしまう。影が悪性の腫瘍だった場合、治療にどれだけの時間と費用がかかるのか。それを我が家の家計はどこまで支えられるのか。そろそろ真剣に考えなければならない。いや、その前に、病気が治るのかどうか――あの若い医師は、きちんと本人に伝えてくれるのだろうか？

ペンを持ち直した。退院の翌週、十一月最後の金曜日に、小さな文字で〈北海道？〉と書き込んだ。欄外に〈来年の手帳を買うこと〉ともメモをした。

もう一度ため息をついて、手帳を閉じた。今年の手帳の表紙はダークブラウンだったが、来年はもっと明るい色の表紙にしよう、と決めた。

＊

ふるさとへは一人で向かった。英里子も一緒に行くと言ってくれたのだが、宿がない。市内のホテルは津波でほとんどが壊滅してしまい、かろうじて営業再開までこぎ着けた数少ないホテルも復旧工事の関係者で混み合っている。古いビジネスホテルのシングルルームを一部屋押さえるのがやっとだった。

土曜日の夜は、孝一が幼なじみを集めてくれて、街なかにある仮設の飲み屋横丁に出かけた。

幼なじみの仲間たちは、洋行にふるさとの近況をかわるがわる伝えた。洋行に教えてやりたいというより、誰かに話すことで彼ら自身が、この街の「いま」を確認したいのかもしれない。それほど、この街は三月の厄災を境に、さまざまなものが大きく変わってしまったのだ。

いまは復旧特需で沸いている。実際、軒を並べたプレハブの居酒屋は、どこも作業服姿の客でにぎわっていた。これから復興計画がまとまり、補正予算が通れば、特需は「復旧」から「復興」に変わって、物や金がもっと回る。

その一方で、住居や仕事を失ったひとたちは、にぎわいから取り残されたまま、仮設住宅で今後の生活の見通しの立たない不安な暮らしをつづけている。家族を亡くした悲しみから立ち直れず、酒やギャンブルに溺れているひとも、マスコミの報道以上にたくさんいる。

「ここが踏ん張りどころだ」

酔って呂律《ろれつ》の怪しくなった声で、和夫《かずお》が言う。中学生の頃はおとなしくて目立たない生徒だったが、商業高校を卒業したあとは地元で一番大きな水産加工会社に就職して、三月までは工場長を務めていた。

「俺たちは五十だぞ。ちょうどいい歳《とし》だ。まだ老け込むには早いし、若造みたいに青臭くもないんだから、俺たちの世代が復興の先頭に立ってがんばらないとな。子どもや孫に、こんな瓦礫だらけのふるさとを渡すわけにはいかないだろ」

なあ、そうだよなあ、と両隣の連中の肩を叩《たた》く。正論だった。工事関係者の陣取るテーブルを一瞥《いちべつ》して、「地元がしっかりしないと、よそものに好き放題にやられるからな」と低い声で言う。これもたぶん、正しい見方なのだろう。

和夫は、施設に入っていた九十五歳の祖母を津波で亡くした。両親と住んでいた二世帯住宅も、ローンがあと十年残っているのに全壊してしまった。さらに会社は工場も冷凍倉庫も流され、ずっと休業している。

それでも和夫は仮設住宅で不便な生活をつづけながら、「あきらめるな」と繰り返す。長引く自宅待機に痺《しび》れを切らして仙台や盛岡で職を探すと言う同僚を引き留め、「俺たち働き手が出て行ったら、この街はほんとうに終わりだぞ」と励ましつづける。「死んだひとたちの無念を晴らすには、街をよみがえらせるしかないんだよ」――正しすぎるぐらい正しい言葉だった。

だが、ほかの仲間の反応は鈍かった。みんなそろって相槌《あいづち》は打っても、「そうだそうだ」という声はあがらない。

仲間のほとんどは、入り江の集落にあった家を流され、仮設住宅に入っている。両親や連れ合い、さらには子どもまで逆縁で亡くした仲間も少なくない。

信用金庫の職員だった健介《けんすけ》は、ずいぶん陽《ひ》に焼けていた。奥さんと高校生の長男を津波で亡くし、年老いた両親とまだ小学生の次男を抱えて、日銭を稼げる復旧工事の現場で働いているのだ。

夏に会ったとき「津波の様子が頭に焼きついて眠れない」と訴えていた誠治《せいじ》は、夏から秋にかけて症状がさらに悪化して、錯乱したあげく誰彼なしに暴力をふるうようになってしまい、いまは仙台で入院しているという。

去年のうちに高台の地区に二世帯住宅を新築していた靖春《やすはる》は、運が良かった。家族は全員無事で、物置同然だった入り江の古い家が流されただけですんだ。しかも、靖春はその家を「両親の住居が全壊」ということにして、生活再建支援金を申請している。まわりの連中は嫌な顔をしたが、「それくらいやってもバチは当たらないって」と開き直って言う。「地震も津波も、俺のせいじゃないんだから」

洋行はなにも言わない。みんなの話に大きくうなずくこともなければ、首をかしげることもない。ただ黙って酒を啜《すす》り、炙《あぶ》った干物を噛みしめる。

がんばれよ、と言う資格はない。俺もがんばるよ、とも言えない。みんなも大変だなあ、と言う立場ではない。俺も東京で大変なんだよ、と言いたくても、言えない。

話は尽きなかった。昔からこんなにおしゃべりな連中だっただろうかと訝《いぶか》しくなるほど、津波のあとはみんなよくしゃべるようになった。酒を飲むピッチが速くなり、あっけなく酔っぱらうようにもなった。

話題はやがて「ヒロは知らないと思うけど」という前置き付きのものに変わっていった。避難所に救援物資が行き渡らなかった話、義援金がピンハネされていたという噂《うわさ》、半壊の家屋を狙ったリフォーム詐欺……。

「やめろやめろ、田舎の恥をさらすな。せっかくヒロが来てるんだから、安心して東京に帰れるような話をしろよ」

和夫は顔をしかめて焼酎《しょうちゅう》を呷《あお》り、「なあヒロ、そんな話をされても困るよなあ」と取って付けたように笑って、店舗の外の共同トイレに向かった。

その隙に、仲間たちが洋行に教えてくれた。和夫は来年早々に告示される市議選に立候補するらしい。みんなの口ぶりは、それを無条件に応援しているというふうではなかった。むしろ、和夫のふりかざす正論に辟易《へきえき》して、冷ややかに見ているようにも感じられる。

洋行は無表情のまま酒を啜り、干物をちぎった。

プレハブの店舗が並ぶ広場は夏祭りの夜店のように明るかったが、海のほうに目をやると、広場の少し先からは仮設の外灯がぽつりぽつりと灯《とも》っているだけだった。

和夫たちは仮設住宅の方向別にタクシーに乗り合わせて帰り、駅前のホテルに歩いて戻る洋行には、孝一が付き合ってくれた。

居酒屋では話の聞き手に回っていた孝一は、洋行と二人になると急に饒舌《じょうぜつ》になった。

「俺はUターン組だから、やっぱりずっと地元にいた奴《やつ》らとは違うんだよ」

ふだんは意識しなくても、ぎりぎりのところでそれが出てきてしまう、という。

和夫の選挙の話もそうだった。

「あいつは現職の市長派の支援で立候補するんだけど、俺は市長のやり方は、ただのハコモノ行政だと思ってて、もっと被災者の支援をしっかりやってほしいんだ。でも、『昨日今日帰ってきたばかりで、知ったふうな口をきくな』って……なにも言い返せないよな、こっちは」

孝一の自宅も津波で流された。家族は無事だったが、Uターンして再就職した製氷会社は、壊滅した魚市場が元に戻らないかぎり経営再建は難しい。いまは仮設住宅から職探しに回る毎日だった。

「こっちに帰ってきて、ちょうど二年だよ。あと二年東京でねばってれば、田舎の家が流されても、親父とおふくろを東京に引き取って、なんとかなったんだ」

「うん……」

「親孝行のつもりで帰ってきたのに、結果は正反対になっちゃったよなあ」

運が悪かった、と孝一は歩きながら言った。三月以来、同じ言葉を何度も聞かされた。孝一だけではない。その言葉は街じゅうで聞こえる。低い声で。涙ぐんで。うめくように。ため息交じりに。苦笑いとともに。

最初のうち、洋行はそれを嘆きの言葉だと思っていた。

だが、最近は少し違う。

「運命なんだよな、やっぱり」

孝一は嚙みしめるように言う。「誰が悪いとか、誰のせいとか、もう関係ないよ。悪いのは運だけで、それが運命だったんだ」

わかるよ、と洋行はうなずいた。運のせいにしてしまえば救われることもある。やりきれないものをすべて運命が受け止めて、悪者になってくれる。

「ウチの親父やおふくろもそうだよ。運命なんだよ、いろんなことはぜんぶ」

洋行は言った。夜空を見上げて、だよな、と自分の言葉に自分で相槌を打った。満天の星空だった。左側が欠けた月も浮かんで、そのほのかな光に照らされた海は、街の灯《ひ》が消えてしまった陸地よりもずっと明るい。

両親は、いまどこにいるのだろう。もう、なきがらの形すらなくして、海と一つになってしまったのだろうか。もしも奇跡が起きないのなら、せめて海にいてほしい。汚泥《おでい》や瓦礫に埋もれたまま朽ち果てさせたくはない。だが、そんな悲しく哀れな姿でさえも二人の運命だったのだと、受け容れるしかないのだろうか。

「ヒロちゃん、その先のほう、足元に気をつけろよ。けっこう深い水たまりがあるから」

「ああ……サンキュー」

「側溝の水がすぐにあふれるんだ。地盤沈下、このあたりもひどいから」

広場からホテルまで、仮設の外灯以外の明かりはほとんどなかった。ひとけのない駅舎も闇に沈んでいる。第三セクターの路線は、津波で線路を流された箇所が多すぎて、復旧の目処《めど》はまったく立っていない。巨額の累積赤字を抱えていた路線だったので、おそらく、このまま廃線になってしまうのだろう。

夏までに瓦礫が撤去された駅前の一帯は、いまはあちこちでビルの解体工事が進んでいる。あと何年かすれば、そこに新しいビルが建ち並び、駅のなくなった駅前の風景はすっかり様変わりするはずだ。いや、厄災の前から人口が減って高齢化が進む一方だったふるさとには、「街」としてよみがえる力は、もう残っていないのかもしれない。

ああ、そういえば忘れてた、と孝一は洋行を振り向いて言った。「このまえの北海道の話、おふくろの調子のいいときに訊いてみたんだけど」

ツアーで行ったことはない、という答えだった。

「ただ、俺もおふくろに言われるまで知らなかったんだけど、M町って、ここらあたりの町や村と、もともと縁があるんだってな」

M町――かつてのM村は、この地方から移住した人びとが開拓した村だった。

孝一の母親は、古稀を過ぎてから通いはじめた図書館の郷土史講座で知ったのだという。

大正時代の終わりに県の肝煎りで開拓団がつくられ、百人近いひとたちが北海道に渡った。入り江の集落から開拓団に参加した家も何軒かあったらしい。

「ヒロちゃんちのおばさんも同じ講座に通ってたから、それでおじさんを誘ってM町に行ったんじゃないか、って」

「開拓団の中に親戚がいたのかな」

「どうだろうなあ。でも、ここらへんは、ずうっと先祖をたどっていったら、みんな身内みたいなものだろ」

それはそうだな、と洋行は笑ってうなずいた。

生まれ育ったふるさとを出て行くひとたちは、昔からいた。北海道で一旗揚げるというより、ふるさとでは食べていけない次男や三男が多かったのだろう。米も野菜もろくに穫《と》れない、痩せて寒々しい土地だ。海はすぐに荒れるし、霧が始終たちこめる。夏に霧がつづいて日照が足りなくなると、たちまち冷害に見舞われてしまう。こんな貧しい土地に生まれたのも、運命ということになるのだろうか。

ヒロちゃんの親は偉いよ、と孝一にいつか、厄災に襲われる前に言われた。息子に「洋行」っていう遠くに旅立つ名前をつけてくれたんだもんなあ、俺なんて「孝一」だぞ、長男なんだから親孝行しろって、ひどいだろ……。

孝一は東京で結婚をして、息子と娘を育てた。下の子の就職を機に会社の早期退職に応じ、自宅を処分して、奥さんを連れて帰郷した。孝一本人はなにも言わないが、東京出身の奥さんを説得するのは大変だったらしい。

奥さんはいま、月の半分は東京の息子や娘のアパートに泊まっている。2DKの仮設住宅では、孝一の両親と四人で暮らしていると息が詰まる。しかたないよな、と夏に会ったときに孝一は寂しそうに笑っていた。

ホテルに近づいた。どの部屋の窓にも明かりが灯っているのに、にぎわいは感じられない。

「先週、そこの瓦礫を片づけてたら、遺体の一部が見つかったんだ。脚の骨だったらしい」

孝一はビルの跡地の隅を指差して言った。外灯の光の届かない一角だった。夏の間に生い茂った雑草が、いまは枯れて、夜風にカサカサと音をたてて揺れていた。

「ヒロちゃんは怒るかもしれないけど……明日、おじさんやおばさん、見つかるといいな」

俺もそう思うよ、と洋行は息だけの声で言った。孝一には聞こえなかったのだろう、返事はなかった。

＊

M町の役場を訪ねて、玄関に掲げられた案内図で観光振興課の窓口の場所を確かめていたら、ロビーにいた女性に声をかけられた。

メモリアル・ベンチを担当している星野さんだった。新千歳《しんちとせ》空港から高速バスに乗り込むときに電話を入れておいたので、バスが到着する時刻に合わせて、ロビーに出てきてくれたのだ。

東京を発《た》つ前にも、何度か電話でやり取りをしていた。そのときの声の印象どおり、洋行とそれほど変わらない年格好で、渡された名刺には課長とあった。

観光振興課の応接コーナーに洋行を案内した星野さんは、席に着く前に居住まいを正し、頭を深々と下げて謝った。

「無神経なことをして、すみませんでした」

ダイレクトメールのこと――。

先に椅子に座ってしまった洋行は、あわてて立ち上がり、「そんなことありません」と手振りを交えて伝えた。

「住所を確認すればよかったんです。そうすれば、津波で被災されているかもしれないってわかったはずなんです」

洋行はかぶりを振ってさえぎった。

「手紙を送ってもらわなかったら、ベンチのことはなにも知らないままになってたところだから、感謝してるんです、ほんとうに」

慰めでも強がりでもない。いまは心から思う。

やっと星野さんが椅子に座ってくれたので、洋行もあらためて腰を下ろした。

「あの、それで……その後は……」

星野さんが、訊きづらそうに口を開く。

「まだなんです」

洋行は先回りして答えた。「もう、正直言って、無理でしょうね」

素直に認めた。実際、最後の一斉捜索でも両親の手がかりは見つからなかった。あきらめるしかない。それは、理屈の筋道を通すまでもない話だった。

あの日、夕方になって捜索終了のサイレンが鳴り響くなか、こんな光景を目にした。捜索に携わった若い消防署員が、荒涼とした更地になってしまった集落に手を合わせ、年かさの署員にこっぴどく怒鳴りつけられたのだ。

若い署員は自分なりに気をつかったつもりで、年かさの署員のほうも、行方不明者と犠牲者を一緒にするな、と洋行を気づかってくれたのだろう。感謝するよりも、申し訳なさのほうが強い。洋行が両親の死亡届さえ出せば、彼らもここまで気をつかわなくてすむはずだ。

わかっている。ほんとうに。みぞおちがキリキリと痛くなるほど強く、深く、理解しているのだ。

それでも、まだ、死亡届を出せずにいる。

警察と消防が引き揚げたあと、捜索を手伝ってくれた近所のひとや親戚のひとに慰労の席を設けた。

仮設の外灯の下に車座《くるまざ》になって、焚《た》き火で暖を取りながら紙コップに注いだ日本酒を啜るだけだったが、最近めっきり酒が弱くなった年寄りの連中はすぐに酔っぱらい、「やるだけのことはやったんだから、もういいだろう」と何度も繰り返した。「洋行、そろそろ親父とおふくろを成仏させてやれ」と据わった目でにらんでくるひともいたし、「いつまでも中途半端なままだと、俺たちだって収まりがつかないんだよ」と声を荒げるひともいた。

その場ではなにも言い返さなかった。年寄りたちの言うことに納得もしていた。なのに、死亡届が出せない。依怙地《いこじ》になっているわけでも、未練を断ち切れないわけでもないのに、けじめをつけることがどうしてもできない。

「家の建物のほうも被災されたんですか」

「全壊です。海岸に近かったし、古い家だったこともあって、ほとんど土台しか残らなくて」

「じゃあ、いろんな思い出も……」

「ええ。両親の持ち物や、僕の子どもの頃の物も、ぜんぶ流されてしまいました」

家がなくなった。入り江の集落が消え、街の姿かたちも変わった。それは、いまのふるさとが壊滅しただけでなく、長い年月にわたって積み重ねられてきた歴史や、一人ひとりの記憶が奪われたということだった。

「だから、よかったです、メモリアル・ベンチがあって」

「いえ……でも、そんな……」

星野さんは恐縮しながら、申し込み用紙を綴《と》じたファイルを繰って、付箋を立てたページを洋行に見せた。

「これがご両親の申し込み用紙です」

母親の字だ。間違いない。日付は去年の十月だった。

プレートに記した言葉は、ローマ字で表記した両親の名前だけ。洋行はもっとメッセージらしいものを期待していたので拍子抜けして、がっかりもしてしまったが、そのほうがなんとなく親父とおふくろらしいかな、と思い直して納得した。

「わたしが受付をしたので覚えてるんですが、民宿にお泊まりになったんです。その宿にメモリアル・ベンチのパンフレットが置いてあったので、せっかくだから、と役場に寄って申し込んでくださったんです」

「M町に来た理由とか目的、なにか言ってましたか」

「直接はうかがわなかったんですけど、このまえのお電話で大正時代の開拓団のことをおっしゃってたでしょう？　それで、もしかしたらと思って、図書館の中の郷土資料室に訊いてみたんです」

そうしたら、これが、と星野さんは『来室ノート』と題された和紙の芳名録を差し出した。

父親がいる。母親もいる。それぞれ自筆で署名して、父親は律儀に自宅の住所も書いていた。

「郷土資料室だと、開拓の頃の資料もあるわけですよね」

「ええ」

「それをウチの両親も見たということですか」

「おそらく、ですけど」

星野さんは今年の春に編纂《へんさん》された郷土史の図録も用意してくれていた。もともと九十年ほどの歴史しかない町なので、図録も薄っぺらな冊子のようなものだった。

「大正の開拓団の末裔《まつえい》のひとは、いまはもう、ほとんどいないみたいです」

星野さんも札幌から嫁いできた。夫の先祖は江戸の幕臣で、明治の初期に北海道に渡ってきたらしい。

図録をぱらぱらとめくってみた。モノクロの写真と短い文章をざっと眺めるだけでも、開拓時代の苦労は偲ばれる。

山火事があった。洪水もあった。冷害もあった。干ばつもあった。嵐もあった。大雪もあったし、雪崩《なだれ》もあった。空を真っ黒に染めるほどのイナゴの襲来で、畑の作物はもちろん、村人の着物まで食い尽くされた年もあったし、家畜を襲ったオオカミが老人や赤ん坊にまで牙を剝《む》いたこともあった。

「町の小学生と中学生の全員に、この図録を配ったんです。家族で読んでくださいって言ったんですけど、どうも、子どもたちにも最近の若い親にも、こういう苦労ってピンと来ないみたいで」

図録の写真はすべて資料室に展示してあるので、両親も同じ写真を見たことになる。痩せこけた体をボロ雑巾のような服で包んだ開拓時代の村人が十数人、銃で撃ったのか罠《わな》に掛けたのか、大きなヒグマを前に置いてカメラに収まっていた。頰骨《ほおぼね》が張って眼窩《がんか》が落ちくぼんだ開拓民の中には、ふるさとの入り江の集落から来たひともいるはずだ。

「正月休みで田舎に帰ったときには、なんにも言ってなかったんですよ、親父もおふくろも」

十月に行ったばかりの旅行なのにねえ、まったく、とわざと悔しそうに腕組みをして、首をかしげた。

星野さんは困ったような笑顔でそれに応え、「逆のパターンもありますよね」と言った。「ウチの息子、東京でフリーターっていうんですか、まだふらふらしてるんですけど、田舎に帰ってきても、東京でなにやってるのか、親にはなんにも言わないんですよね」

「わかります」と洋行はうなずいた。僕も昔はそうでした、と言いかけて、いまでもそうかな、と笑った。意外と素直な笑顔になったのが、自分でもわかった。

「それで」

星野さんは本題に戻って、申し込み用紙を指差した。「ご両親がオーナーになられたベンチは、ここです」

ベンチを設置した場所が、町域の略地図に書いてある。

河川敷の公園の遊歩道だった。展望台のある山の頂上や、晴れた日には津軽半島が見える港の公園や、軽便鉄道《けいべんてつどう》の蒸気機関車を置いた駅舎跡など、いくつかある候補地を回って、そこを選んだのだという。

「この公園、桜が三百本植わってるんです」

「町の樹、オオヤマザクラでしたよね」

「そうそう、そうなんです、ソメイヨシノじゃなくてね」

「皆さんお花見に出かけるんですか」

「ええ。ただ、このあたりのお花見は五月の半ば過ぎで、桜の樹の下でジンギスカンですから、ちょっと本州の方の感覚とは違うかもしれませんけど」

「確かに……でも、それも楽しそうですね」

「ベンチをご覧になりますか？　よろしければ、車でご案内します」

「いいんですか？」

「もちろんです」

うなずいて立ち上がりかけた星野さんは、洋行とふと目が合うと、急に眉《まゆ》を曇らせた。

「それとも、少しお休みになりますか？　ちょっと顔色が悪いように見えるんですけど……」

そんなことないですよ、と洋行は笑う。ゆっくりと深呼吸して、さりげなく背筋も伸ばし、さっきからつづいている脇腹の鈍い痛みをそらした。

胸を開けた検査から十日以上過ぎていたが、まだ肋骨《ろっこつ》の奥が痛む。レンタカーの運転をあきらめたのも、その痛みが取れないからだった。肺の一部を切除した。やはり腫瘍は悪性のものだった。「悪さをしそうなところはきれいに取りましたし、メスを入れた検査の後はどうしても肋間《ろっかん》神経痛が残りますから」と主治医は言っていたが、この痛みがほんとうに肋間神経痛かどうかはわからない。なにより、検査を境に、主治医の言葉づかいから軽さが消えていた。

「いまから連れて行ってください」

「だいじょうぶですか？」

「できれば日帰りしたいので、お願いします」

立ち上がった。左の鎖骨《さこつ》のすぐ下にも、最近ときどき鈍痛がある。いまもそうだ。主治医にはその痛みのことはまだ話していない。代わりに、セカンド・オピニオンを受ける病院をインターネットで探している。

＊

「お父さんの気持ちは大事にしたいと思ってるのよ、わたしも彼も」

結婚式の打ち合わせの席で、奈々は諭すように洋行に言ったのだ。

「わたしたちの式のために、おじいちゃんとおばあちゃんのことをアレするっていうのは、べつにわたしたちとしてもアレじゃないから」

いかにも話しづらそうだった。口に出したくない言葉がいくつもあるし、言い切ってしまいたくないこともあるのだろう。

「ただ、せっかくお祝いに来てくれたひとに、よけいな気をつかわせちゃうのもよくないと思うのよ。だから、中途半端に説明してみんなを困らせちゃうぐらいなら、もう最初から知らん顔っていうか、津波のこととか、なにも言わないほうがいいのかもしれないかな、みたいな気もしちゃうんだけど」

奈々の隣に座った敏也は、どうかわかってください、と訴えるように、無言で洋行を見つめる。奈々と二人でしっかり話し合ってから我が家に来たのだということは、よくわかる。せっかくの式の前に、それこそよけいな気をつかわせてしまうことを、親として詫びたいとも思う。

そこまでわかっていても、奈々が「津波のこと、司会のひとに黙っててもらっていいよね？」とつづけた言葉にうなずくことはできなかった。

「じゃあ、どうするわけ？　披露宴のしょっぱなから『新婦のおじいさんとおばあさんは、津波でいまも行方不明ですが』って言うわけ？」

そうじゃないんだ、と首を横に振る。

「おじいちゃんとおばあちゃんにも席をつくるわけ？　で、二人分の席が最初から最後までずーっと、ぽかんと空きっぱなしなわけ？」

そういうことじゃないんだ、とさらに強く首を振った。

鼻白んだ顔になった奈々は、二人をとりなそうと口を開きかけた敏也を目で制して、

「あのね」と洋行に言った。

「披露宴の最初に、おじいちゃんとおばあちゃんの冥福を祈ってみんなで黙禱《もくとう》するのが、一番きれいだと思うよ。わたしたちもすっきりするし、おじいちゃんとおばあちゃんも喜んでくれるんじゃないの？」

奈々の言うことは正しい。正しすぎる。ふと、ふるさとの和夫の顔が浮かんだ。

英里子が「お父さんも退院したばかりで疲れてるんだから」と割って入った。奈々と敏也に目配せをしてから、洋行に「少し休んだほうがいいわよ」と言う。

洋行は素直に従って寝室に向かった。ベッドにもぐりこむと、すぐに寝入ってしまった。

夢のない眠りの中で、英里子の声を聞いた。

「ほんとう？」

驚いていた。「よかったじゃない、おめでとう」と喜んで、祝福していた。

来年の夏、新しい家族が増える。

星野さんは役場のライトバンで河川敷の公園まで送ってくれた。

途中で「そんなに遠回りにはなりませんから」と、開拓団の記念碑に案内された。昭和から平成に変わって間もない頃、入植七十周年で建立したものだった。

「記念の年にしてはちょっと中途半端なんですけど、開拓団に参加した最後の方がまだご存命だったので、そのひとが生きてるうちに、と」

石森《いしもり》さんというひとだった。洋行のふるさとからそれほど遠くない村の出身で、十歳のときに親に連れられて入植した。開拓団に同年代の子は十数人いたが、その半数以上はおとなになるまで生きられず、成人した仲間もほとんどは若いうちにM町を出てしまった。そして、石森さんも、記念碑ができて半年もたたないうちに亡くなった。幼い頃からの苦労がたたって歳をとってからはリウマチに苦しみ、晩年は目も見えなくなっていたが、火葬した後の骨は驚くほど太かったという。

「一つの歴史が幕を閉じたということですよね」

星野さんはぽつりと言って、寄り道を終えた。

三月から五月頃にかけて、洋行は遺体安置所をめぐりつづけた。数えきれないほどの遺体を目の当たりにして、それが両親のなきがらではないことを確かめて、また次の遺体へ目を移す。

どの遺体も泥で黒く汚れていた。腕や脚が不自然に折れ曲がったり、ちぎれていたりする遺体も多かった。

こんなにもたくさんの遺体を目にしたのは、もちろん生まれて初めてだった。英里子や奈々は安置所へは決して行かせなかった。そのことだけは、たとえ他人からどう言われようとも、間違ってはいなかったぞ、と自分の判断を肯定したい。

最初の数日間は、両親に似た年格好の遺体が別人だとわかるたびに安堵《あんど》のため息をついていたが、やがて、早く見つけてやりたい、身内のもとに連れ帰ってやりたい、という思いのほうが強くなってきた。

悲しみを受け止める覚悟はできていた。だが、その覚悟は、どこにも落ち着き先を見つけられないまま、胸の奥に漂いつづけるしかなかった。

左胸の影はそこから生まれてしまったのではないかと、ときどき真剣に思う。

両親のメモリアル・ベンチは、桜並木がつづく河畔の遊歩道にあった。おとな三人でゆったり、少し詰めれば四人でも座れそうな、大ぶりのベンチだった。

背もたれの真ん中に取り付けられたステンレスのメッセージプレートは、名前以外に四十字までのメッセージを入れられるサイズだった。だが、申し込み用紙にあったとおり、両親はローマ字表記の二人の名前しか入れていない。おかげで余白の部分が大きすぎて、なんだかひどく間が抜けていた。

「親父とおふくろは、このベンチに座ったんですか？」

星野さんは申し訳なさそうに首を横に振った。メモリアル・ベンチは申し込みがあってから製作に取りかかる。十二月頃にできあがったものの、雪の積もる時季に入ってしまったので、設置は春まで延期された。

「設置工事をしたのは三月二十日です」

「じゃあ、もう……」

遺体安置所をめぐっていた頃だ。

停電で薄暗い体育館の床に何百もの遺体が並んだ光景と、海水交じりの泥のにおいと、そして濃密に立ちこめていた死の気配としか呼びようのない湿り気が、よみがえる。

それを振り払いたくて、わざと軽く笑って言った。

「おふくろ、もしも実物のベンチを見たら、ちょっと後悔したんじゃないかなあ」

「……気に入ってもらえなかった、ってことですか？」

「いえ、そうじゃなくて、こんなにプレートに余白があるんだったら、遠慮せずになにかメッセージを書いてもらえばよかった、って」

星野さんも、やだ、と笑った。

「親父もおふくろも、そういうところでヘンに遠慮しちゃう性格なんですよ」

まいっちゃうよなあ、と首をかしげながら、ぽっかりと空いたプレートの余白を見ていたら、まぶたの裏がじわじわと熱くなってきた。

小春日和《こはるびより》の午後だった。こんなにおだやかな晴れの日は今年最後かもしれませんね、と車の中で星野さんが言っていた。山のほうは先週冠雪したらしい。桜の葉もほとんど散り落ちて、もうじき長い冬が来る。

あ、と星野さんが声をあげる。「思いだしました、いま言われて」

ベンチを置く場所を決めるために、星野さんの案内で河畔の遊歩道を歩いていた両親は、この遊歩道をとても気に入って、「春になったら必ずまた来ます」と言った。

桜の咲く頃——という意味でもある。だが、両親は、もう一つの理由を星野さんに話していた。

「この川、鮭が遡上《そじょう》するんです」

今年はもう遡上の季節は終わりかけているが、両親が訪れた去年の十月は、まさにシーズンのまっただ中だった。

「護岸工事をして水深が昔よりずっと浅くなっちゃったんですけど、それでも、がんばって上ってくるんです。体のほとんどが水面から出ても、浅瀬をビチャビチャ跳ねながら必死に上って、傷だらけになって堰堤《えんてい》をジャンプして越えていくんです」

両親もそれを見た。

ちょうどいまベンチが置いてある場所にたたずんで、星野さんが訝しく思うほど、じっと、しばらく身動きもせずに、ふるさとに帰ってきた鮭を見つめていた。

「春になると、今度は卵からかえった稚魚が川を下るんです。海に向かって泳いでいって、そのまま、もう何年も帰ってこないんですよね。今度ふるさとの川に帰ってくるときは、産卵して一生を終えるときで……」

星野さんは洟《はな》を啜り、大きく息をついてからつづけた。

「春になって、稚魚が海に向かう頃に、またここに来ます、っておっしゃってました。お父さんもお母さんも」

洋行は黙ってうなずいて、岸辺のぎりぎりまで歩いて川面《かわも》を覗き込んだ。

ふるさとの川にも鮭は上ってくる。時季になると、父親は近所のひとたちと一緒に、イクラ狙いの密漁を防ぐために河口を見回っていた。

今年の秋も、鮭は帰ってきただろう。変わり果ててしまったふるさとは、それでも、変わることのないふるさとなのだろう。

「もう遡上はほとんど終わってますから、鮭はいないかもしれませんね」

そう言って、洋行の隣で川に目をやった星野さんは、「あ、ほら、あそこ」と少し上流のほうを指差した。「産卵を終えた鮭です」

全身が傷ついて白くなった鮭が、川底に沈んでいた。端のほうがちぎれた尾びれが、水の流れにたゆたっている。陽射しを浴びたせせらぎは、細かな光のかけらになった。その無数の光に包まれて、鮭は静かに眠る。

星野さんは「管理事務所にちょっと顔を出して来ます」と歩きだした。一人にしてくれた気づかいに感謝しながら、洋行は川底の鮭から目をそらすことなく、ただじっと見つめつづけた。

太陽に雲がかかって、水面の光のかけらが消えた。山のほうから風が吹きわたって、梢《こずえ》に残っていた桜の葉を何枚も散らした。

洋行は大きく吸い込んだ息を止め、左胸に手をあてて、両親のベンチの真ん中に座った。

洋行を真ん中に、両親が左右に立つ、そんな写真を子どもの頃に何枚も撮った。

左胸に手をあてたまま背もたれに体を預け、胸に溜《た》まっていた息をゆっくりと吐き出すと、自然と頬がゆるんだ。遊歩道に人影はなかったが、芝生の広場で、着ぶくれした幼い子どもがお母さんと遊んでいるのが見えた。川を背にしたほうが、不思議と川のせせらぎがよく聞こえる。

雲が切れた。また顔を覗かせた太陽を見上げ、まばゆさに目を細めて、まぶたを閉じた。

左胸をそっと撫《な》でる。

運命について思う。

悲しみはある。ないと言えば嘘《うそ》になる。けれど、悔しさや無念や恨みだけは抱くまい、と自分に言い聞かせる。ひとはそのために、運命のせいにするという知恵を授かったのかもしれない。

冬が来て、また春がめぐって、桜が咲き、鮭の稚魚は海を目指して泳ぎだす。

春の次は夏だ。夏には、おじいちゃんになる。

秋には少し長い休みをとって、ふるさとに帰ろう。雑草が伸び放題になっているはずの我が家の土地の処分を、つまりは老いた自分とふるさととの関係を、ちゃんと考えなければならない。

冬が来る。肋間神経痛は寒いとしんどいらしい。もっとつらい痛みも覚悟している。

運命だ、と目を開けずにつぶやいた。肋骨の下に痛みが走り、両手で胸を抱いた。体を横に向けて、ベンチの背に頬をこすりつけるようにして痛みを流した。メッセージプレートに頬が触れる。吹きさらしの冷たさが心地よかった。なにも刻んでいない余白のなめらかさは、残念ながら感じ取ることはできなかったけれど。

痛みの波が去ってから体を起こし、まっすぐ座り直して、冬を越えたあとに待つ春を、また思う。次の春も、また次の春も、おだやかな暖かい日がつづくといい。

そうだよね、と両親の顔を思い浮かべ、「親父」と「おふくろ」ではなく、子どもの頃のように両親を呼んだ。

お父ちゃん。

お母ちゃん。

もう一言、感謝でもお別れでもない言葉を探して、声に出して言った。

「おやすみなさい」

閉じたまぶたの隙間に温かいものがにじみ、虹の色に光った。

目を開けた。うん、と一度だけうなずいた。

太陽を見つめてまたたくと、虹がいくつものかけらになった。

文庫版のためのあとがき

二〇一一年の東日本大震災発生以来、いくつかの被災地を、取材や私的な用件で繰り返し訪ねている。その一つに、岩手県陸前高田《りくぜんたかた》市がある。周知のとおり、二〇一一年三月の東日本大震災で壊滅的な被害を受け、死者・行方不明者が合わせて千八百人近くにまで及んだ街である。

震災からほどない頃に初めて現地に入ったときは、一面、瓦礫《がれき》の山だった。なまぐさい潮のにおいが、街のそこかしこに澱《よど》んでいた。以来、何度も訪ねた。それは、街の風景が復旧から復興へと移っていくのを目の当たりにすることでもあった。

街を覆い尽くしていた瓦礫の山が撤去され、電柱が立ち、ぽつりぽつりと街灯がともるようになった。地盤沈下が起こった海岸部には土嚢《どのう》がうずたかく積み上げられ、全壊したビルや家屋が解体される一方で、河川や港湾の改修工事も急ピッチで進んだ。

この街には、自宅や仕事、そしてなにより家族を喪ったひとがたくさんいた。避難所で寝泊まりしながら、自宅周辺の瓦礫から写真や思い出の家財道具を探し、遺体安置所に通い詰めていたひとたちは、厄災から半年を過ぎる頃には高台の仮設住宅などに移り住んで、やがて街なかから住民の姿が消えた。

二〇一四年二月半ばにテレビのドキュメンタリーの仕事で訪ねたとき、市街地は巨大な工事現場だった。地盤かさ上げ工事が街のあちこちで進められている。山間部で掘り出されたかさ上げ用の土は、未来都市の高速道路を思わせる巨大なベルトコンベアで、絶え間なく運び込まれる。その土を満載したダンプカーが、砂埃を舞い上げて、更地になった街を縦横に駆け巡る。

市街地での撮影を終え、高台の仮設住宅へと向かう前に、しばらくカメラ抜きで自由に街を歩かせてもらった。工事現場に背を向け、重機の轟音《ごうおん》から遠ざかる恰好で車を走らせ、津波で流失した家屋の土台がまだ残っている地区で降りた。数日前に降った雪がうっすらと白く残るなか、枯れた雑草に覆われてしまった一軒ずつのコンクリートの土台を、見るともなく眺めながら歩いた。

小さな花が手向《たむ》けられているのを見つけた。まだ新しい。月命日で訪れたのだろうか。近づいてみると、雪に靴の跡が残っていた。道路からわが家に入り、花を置いて戻ってくる、その足取りがはっきりとわかる。滑り止めの溝が渦を巻くように刻まれているから、長靴なのだろうか。大ぶりの輪郭だから、きっと、おとなの男性だ。父親なのか、息子なのか、あるいは祖父なのか。

靴跡は、一人ぶんしかなかった。

靴跡の主はいまどんな暮らしを営み、どんな思いを胸に抱いているのか。靴跡を見たことでそれに触れた、などとは言えるはずもない。この家に住んでいた家族は自宅の建物を喪っただけなのか、もっと悲しい出来事があったのか、所番地をもとに調べればすぐにわかるのだろうが、だからこそ、やめておいた。ただ、道路にたたずんだまま、瞑目《めいもく》して、手を合わせた。土台に入り込んで、一人きりの靴跡を消してしまうことはできない。雪が積もっていなければ、靴跡は残らなかった。その意味では、幸運だったと言うべきだろうか。けれど、たとえ雪がなくても、目に見えない靴跡は、いつでも、どこにだって、あるはずなのだ。

怖くなった。悲しい場所に置かれた手向けの花は、悲しみを胸に抱えた誰かが訪れて、置いていったから、そこにある——そんな当然のことにさえ気づかないまま、僕はこれまで、いったいいくつの大切な靴跡を見逃して、あまつさえ、無遠慮にその上を歩き回って自分の靴跡を重ねてきたのだろう。

その想像力の乏しさは、二〇一三年三月に単行本版が刊行された本書にも及んでいるかもしれない。文庫版を上梓するいまもなお、それを強く恐れながら、震災発生から約一年半の間に書き綴った七篇のお話が、あの日の雪のように、読んでくださったひとの胸になにかを浮かび上がらせるようすがになってくれたなら、と願って、祈ってもいる。

七篇のお話それぞれの初出に際してお世話になった皆さんに感謝する。単行本では扶桑社の田中陽子さんに、文庫化にあたっては文藝春秋の加藤はるかさんに、編集の労を執っていただいた。装幀は単行本、文庫ともに鈴木成一さんである。文庫版の写真は鈴木理策さんの作品をお借りした。記して感謝したい。

もちろん、読んでくださったひとには、最敬礼とともに、心からの感謝を捧げる。

そして最後に、いま一度。「誰」とは名付けられない誰かに頭を垂れ、瞑目して、手を合わせさせてください。

二〇一六年一月

重松　清

引用出典　六七頁／相田みつを

「宮城県 平成二十三年度公立高等学校入学者選抜学力検査問題」より

一三五頁／三好達治『測量船』（講談社文芸文庫）より

初出一覧

「トン汁」　en-taxi 二〇一一年vol・33／新潮文庫『卒業ホームラン』所収

「おまじない」　別冊文藝春秋二〇一一年九月号／新潮文庫『まゆみのマーチ』所収

「しおり」　「栞」改題・en-taxi 二〇一一年vol・34

「記念日」　「カレンダー」改題・en-taxi 二〇一二年vol・35

「帰郷」　「盂蘭盆会」改題・早稲田文学二〇一一年四号

「五百羅漢」　en-taxi 二〇一二年vol・36

「また次の春へ」　en-taxi 二〇一二年vol・37

単行本　二〇一三年三月　扶桑社刊

DTP制作　ジェイ エスキューブ

文春文庫

また次《つぎ》の春《はる》へ

定価はカバーに
表示してあります

2016年3月10日　第1刷

著　者　重《しげ》松《まつ》清《きよし》

発行者　飯窪成幸
発行所　株式会社 文藝春秋

東京都千代田区紀尾井町 3-23　〒102-8008
TEL 03・3265・1211
文藝春秋ホームページ　http://www.bunshun.co.jp

落丁、乱丁本は、お手数ですが小社製作部宛お送り下さい。送料小社負担でお取替致します。

印刷・凸版印刷　製本・加藤製本

Printed in Japan
ISBN978-4-16-790565-1